Como Criar
Crianças Saudáveis

Como Criar Crianças Saudáveis

Ou parafraseando Leo Kanner na metade do século XX...

"EM DEFESA DAS MÃES"

("como criar filhos apesar dos mais ardentes especialistas...")

Francisco B. Assumpção Jr.

EDITORA ATHENEU

São Paulo	Rua Jesuíno Pascoal, 30 Tel.: (11) 2858-8750 Fax: (11) 2858-8766 E-mail: atheneu@atheneu.com.br
Rio de Janeiro	Rua Bambina, 74 Tel.: (21)3094-1295 Fax: (21)3094-1284 E-mail: atheneu@atheneu.com.br
Belo Horizonte	Rua Domingos Vieira, 319, conj. 1.104

CAPA: Equipe Atheneu
PRODUÇÃO EDITORIAL: MKX Editorial

CIP-BRASIL. CATALOGAÇÃO NA PUBLICAÇÃO
SINDICATO NACIONAL DOS EDITORES DE LIVROS, RJ

A871c

Assumpção Jr., Francisco B.
Como criar crianças saudáveis / Francisco B. Assumpção Jr.. - 1. ed. - Rio de Janeiro : Atheneu, 2019.
: il.

Inclui bibliografia
ISBN 978-85-388-0900-5

1. Crianças - Formação. 2. Educação de crianças. 3. Psicologia infantil. 4. Responsabilidade dos pais. I. Título.

18-52279

CDD: 649.1
CDU: 649.1

Meri Gleice Rodrigues de Souza – Bibliotecária CRB-7/6439
04/09/2018   05/09/2018

ASSUMPÇÃO, F.B. JR.
Como Criar Crianças Saudáveis

©Direitos reservados à EDITORA ATHENEU – São Paulo, Rio de Janeiro, Belo Horizonte, 2019.

Francisco B. Assumpção Jr.

Professor Livre-docente pela Faculdade de Medicina da Universidade de São Paulo (FMUSP). Professor-associado do Instituto de Psicologia da Universidade de São Paulo (IP-USP). Membro das Academias Paulista de Medicina (cad.103) e Psicologia (cad.17).

Poema Enjoadinho

Vinicius de Moraes

Filhos... Filhos?
Melhor não tê-los!
Mas se não os temos
Como sabê-lo?
Se não os temos
Que de consulta
Quanto silêncio
Como os queremos!
Banho de mar
Diz que é um porrete...
Cônjuge voa
Transpõe o espaço
Engole água
Fica salgada
Se iodifica
Depois, que boa
Que morenaço
Que a esposa fica!
Resultado: filho.
E então começa
A aporrinhação:
Cocô está branco
Cocô está preto
Bebe amoníaco
Comeu botão.
Filhos? Filhos
Melhor não tê-los
Noites de insônia

Cãs prematuras
Prantos convulsos
Meu Deus, salvai-o!
Filhos são o demo
Melhor não tê-los...
Mas se não os temos
Como sabê-los?
Como saber
Que macieza
Nos seus cabelos
Que cheiro morno
Na sua carne
Que gosto doce
Na sua boca!
Chupam gilete
Bebem shampoo
Ateiam fogo
No quarteirão
Porém, que coisa
Que coisa louca
Que coisa linda
Que os filhos são!

*Texto extraído do livro
Antologia Poética,
Editora do Autor - Rio de
Janeiro, 1960, pág. 195.*

SUMÁRIO

1 Como Fazer Crianças Saudáveis *ou* O Que É Ser Saudável, 1

2 A Democracia Familiar ou "Sua Majestade, o Bebê – A Ditadura Infantil", 13

3 A Superproteção ou "A Irmandade das Mães Precavidas Que Não Evitam Nada", 23

4 "O Pão Nosso de Cada Dia...", 31

5 Os Pequenos Cientistas, 41

6 Um Universo de Hiperativos?, 49

7 "Mãe É uma Só... Duas Ninguém Aguenta...", 63

8 "A Estupidez do Politicamente Correto"..., 71

9 As "Novas Superstições"..., 79

10 A Questão dos "Diagnósticos", 89

11 Os Milagres da Modernidade, 99

12 A Democracia, 107

13 Coisas Básicas, 117

14 Uma Boa Mãe..., 127

Índice Remissivo, 139

1
Como Fazer Crianças Saudáveis
ou
O Que É Ser Saudável

Embora seja uma das principais preocupações dos pais, senão mesmo a maior, o tema em si já pode trazer inúmeras discussões e argumentos uma vez que as ideias de normalidade e de ser "saudável", embora bastante contemporâneas, são passíveis de inúmeras discussões, muitas das quais totalmente perdidas em estruturas mentais absolutamente teóricas, sem nenhuma fundamentação na realidade e, o que é pior, eivadas de um romantismo arcaico, totalmente desprivilegiado, não somente pela própria contemporaneidade como pelo próprio evoluir da espécie que, como tal, lutou por alguns milhares de anos para sobreviver e se adaptar a um mundo hostil por suas características geológicas, geográficas e climáticas, bem como pela competição com as demais espécies que povoaram o planeta nos últimos dez mil anos e pela hostilidade decorrente da competição com os próprios semelhantes.

Assim, para evitarmos qualquer tipo de discussão teórica com forte conteúdo ideológico, partiremos de uma pergunta banal, buscando uma resposta também banal:

O que é saudável?

Conforme o Dicionário Aurélio,[a] podemos falar que algo ou alguém é saudável quando goza de boa saúde, física ou mental, ou é bom para a saúde, ou, ainda, que é benéfico ou útil. Entretanto, essa concepção prima por uma visão unilateral e simplista que considera somente a questão biológica como fundamental, pois, se considerarmos a saúde mental como além da mera questão neurofisiológica, teremos que entrar no campo pantanoso do biopsicossocial, tão difícil de ser avaliado, uma vez que se interpenetra com noções de qualidade de vida (conceito eminentemente subjetivo) e de satisfação pessoal, conceito esse muito difícil de ser parametrizado.

Se, entretanto, parto dessa ideia simplista por ser a mais fácil de ser elaborada, tenho que considerar dois aspectos importantes, pois para criar filhos que gozem de boa saúde física ou mental vou ter que, em primeiro lugar, controlar a forma pela qual nascem, uma vez que muitas de suas características já são presentes ao momento do nascimento.

Isso nos leva, então, a uma questão polêmica e pouco discutida (talvez nunca você tenha pensado a respeito), que é a da eugenia, termo criado em 1883 por Galton, com o significado de "bem-nascido". Galton a definiu como "o estudo dos agentes sob o controle social que podem melhorar ou empobrecer as qualidades raciais das futuras gerações, seja física ou mentalmente".

Esse é um tema que se torna bastante controverso após o surgimento da eugenia nazista, uma vez que, mesmo com a maior utilização de técnicas de melhoramento genético usadas em plantas e animais, existem questionamentos éticos quanto a seu uso com seres humanos, embora quase todos nós tenhamos opiniões (aparentemente) claras e muito bem definidas quando falamos em abortamento de fetos malformados ou de prevenção de deficiências com controle de natalidade e exames de detecção precoce. Eugenia é um termo anterior ao termo "genética", só cunhado em 1908, pelo cientista William Bateson e, por isso, quando fazemos essas considerações de caráter geral (pois decidir levando em conta a própria situação é totalmente diferente), preferimos utilizar o termo moderno genética, posto que falar de mecanismos eugênicos pareceria extremamente forte para nossos ouvidos sensíveis e politicamente corretos. Entretanto, temos que pensar que quando queremos um bebê com características determinadas ou mesmo quando não o queremos por suas limitações ou deficiências, exercemos algo similar ao conceito eugênico.

[a] *Novo Dicionário Aurélio da Língua Portuguesa*. Rio de Janeiro: Nova Fronteira, 1993.

Fica, assim, uma primeira pergunta: o que estamos querendo dizer com criar filhos saudáveis? O que queremos deles e até onde estamos dispostos a ir, na busca desse objetivo?

Outra questão importante corresponde ao que consideramos benéfico ou útil e aqui, para ficarmos no topo da contemporaneidade, temos que pensar no que é denominado hoje pós-humanismo, como sinônimo de transumanismo, designando um estado em que a espécie humana é capaz de superar suas limitações intelectuais e físicas por meio do controle tecnológico de sua própria evolução biológica.

A princípio pareceria óbvio, a qualquer um de nós, que gostaríamos, dentro das melhores expectativas humanas, que nossos filhos pudessem ser lindos, inteligentes, famosos, ricos, em suma... perfeitos.

Se pensarmos que o pós-humanismo e a tecnologia evoluíram de mãos dadas de maneira tão arraigada que mal percebemos sua influência, consideramos, no mais das vezes, banais e cotidianas suas manifestações, referindo-nos a elas como uma das vantagens e das mudanças indispensáveis da pós-modernidade.

Assim, passamos a pensar para nossos filhos como naturais, enquanto um primeiro momento, as extensões do próprio corpo, vistas por nós de maneira evidente e que incluem, entre outras coisas, as redes sociais, *smartphones* etc. Essas "extensões" nos parecem tão banais e evidentes que dificilmente as pensaríamos como algo que altera, de alguma forma, a própria espécie, embora tenhamos que reconhecer que, por meio desses artefatos, "ampliamos" nossos sentidos e nossas características. Isso tudo com consequências ainda não muito claras a nenhum de nós. Tudo o que temos são opiniões a respeito.

Podemos colocar, então, uma segunda questão, também óbvia e banal, porém interessante: O quanto queremos que nossos filhos dependam substancialmente de "acessórios" e o quanto esses diminuem a autonomia, alteram a linguagem (Orwell ficaria surpreso ao ver a novilíngua tão evidente com todas as restrições de pensamento decorrentes) e modificam as relações sociais, tão importantes para a subsistência da gregariedade?

Assim, em um segundo momento, podemos observar as técnicas que visam alterações da aparência do próprio corpo, também vistas por todos de maneira banal e corriqueira, envolvendo as técnicas de *body building* e *body modification*. Já nos é quase corriqueiro pensar que devemos ou podemos ter um busto com determinada medida, nariz com uma forma imaginada ou quadris com aparência específica. O mais interessante é que tudo isso nos leva à busca de uma eventual "perfeição" ou "expectativa de perfeição" que, se não atingida, nos leva na direção do sofrimento e da baixa autoestima. E aqui, infelizmente, nosso conceito de normal esbarra no conceito de ideal.

Desse modo, podemos colocar ao leitor uma terceira questão: Quando sua filha de 16 anos quer aumentar as medidas de seu busto, porque todas as suas coleguinhas de escola possuem um busto maior que o dela e o cirurgião plástico refere que a cirurgia vai melhorar sua autoimagem e sua autoestima, você acredita que o problema é realmente de imagem corporal ou o declarado problema é de quanto a autoimagem e a autoestima são modeladas pelas demandas sociais, que exigem um ideal estético de perfeição? Se essa afirmação for verdadeira, como você vai reagir com um filho deficiente ou malformado? Vai incluí-lo ou essa é a desculpa que você vai encontrar por não conseguir suprir o ideal de perfeição demandado?

Finalmente, as questões (ainda) mais distantes da grande massa populacional, mas já presentes na reabilitação, aquelas situações ligadas a implantes ou próteses que corrigem ou ampliam funções orgânicas, melhorando-as (Santaella, 2010). Ninguém poderia, em pleno juízo, duvidar da sua utilidade e importância, no entanto isso se reflete no que é ser saudável.

Ser saudável seria ter maior desempenho em alguma área específica do desenvolvimento? Ou corresponderia a ter maior habilidade e capacidade de enfrentamento diante dos problemas cotidianos?

Caso verdade, o que me impediria de pensar que se eu substituísse os braços de meu filho por próteses robóticas ele poderia ter mais chances como jogador de tênis e, com isso, ganharia muito mais dinheiro e seria muito mais bem-sucedido que a média dos mortais? Embora pareça ainda ficção científica, a possibilidade de próteses e órteses terem eficiência maior que membros humanos é real e, assim, poderíamos nos questionar se ter um filho ciborgue seria ter um filho mais saudável e feliz que aquele com todas as limitações e as misérias da carne.

Com todas essas considerações teóricas tangenciadas, para tentarmos introduzir aquilo que é o nosso tema aqui, teremos que partir então de algo básico.

O que é o homem?

Há um milhão de anos, aproximadamente, um grande antropoide, parente dos macacos do Velho Mundo (sem cauda), devido a alterações do ambiente em que vivia e para solucionar problemas de sobrevivência, fez algumas alterações anatômicas que lhe proporcionaram uma capacidade adaptativa inigualável em todo o reino animal.

Facilitando sua capacidade de locomoção, ao alterar seu ângulo do acetábulo, pôde ficar em postura ereta e, consequentemente, liberar membros superiores, o que lhe proporcionou uma ferramenta fantástica: a mão. Aperfeiçoando essa ferramenta de maneira a que pudesse opor o polegar ao indicador, construiu assim uma ferramenta fantástica que lhe permitiu a preensão em pinça.

Paralelamente, deslocou os olhos da face lateral da cabeça para a face anterior, obtendo visão binocular de profundidade, que lhe permitiu calcular de maneira mais eficaz a distância de suas presas ou de seus predadores.

No entanto, e isto é de fundamental importância, esse primata também alterou estruturas cerebrais que passaram a lhe permitir trabalhar com símbolos, o que lhe possibilitou a capacidade de solucionar problemas na ausência deles, bem como, também, lhe permitiu que se tornasse independente dos mecanismos motores e de tentativa e erro característicos, passando, ao se valer de operações mentais, a estabelecer seus passos nessa solução de problemas, que se tornou então mais simples e rápida. Isso lhe proporcionou, então, uma maior eficácia sob o ponto de vista adaptativo e de sobrevivência. Essa eficácia, embora diluída nas mais diferentes maneiras de viver (e sobreviver), permanece presente quando pensamos no que desejamos para os nossos filhos e quais as condutas e oportunidades que devemos ter para com eles.

Essa modificação cerebral foi tão importante e tornou esse primata tão mais independente que permitiu o estabelecimento de comportamentos cada vez mais específicos, que podem ser considerados como refere Zwang:[b]

a) comportamentos individuais propriamente ditos (característicos da própria espécie e do indivíduo);

b) comportamentos desenvolvidos diante de um ambiente específico (visando principalmente a adaptação ao ambiente);

c) comportamentos similares aos dos indivíduos congêneres e ligados a:

- reprodução;
- sociabilidade.

Isso porque esse animal, por suas características, era um ser gregário (social), que vive obrigatoriamente em bandos, inclusive por questões de sobrevivência biológica e, assim, para que esses bandos (cada vez maiores) fossem viáveis, ele

---

[b] Zwang G. *Les comportements humains*. Paris: Masson, 2000.

teve que construir sistemas de regras que lhe permitissem sobreviver enquanto indivíduo, perpetuar a espécie e marcar, de maneira própria, seu próprio *status* diante do grupo em questão. Essas três características se constituem em programas individuais que devem ser equilibrados e que, embora com um substrato biológico, se diferenciam de indivíduo para indivíduo em função de suas motivações (derivadas de um sistema simbólico específico e dependentes da análise pessoal das experiências prévias). Essas experiências prévias, que constituem uma rede de informações que a criança vai adquirindo ao longo de seu desenvolvimento é, portanto, de importância fundamental no desenvolvimento infantil.

Assim, você tem que pensar enquanto o responsável por auxiliar seu filho na construção dessas redes informacionais.

Todas as variantes fenotípicas humanas (inclusive comportamentais), sejam elas normais ou patológicas, resultam da interação de fatores genéticos com o meio ambiente, embora na maioria das constituições normais e em certo número de doenças, tanto a influência genética como a ambiental possam ser reconhecíveis. Esse mecanismo multifatorial pode ser compreendido reconhecendo-se a complexa interação dos genes do indivíduo e sua relação com o ambiente. Foi exatamente assim que nos tornamos, enquanto espécie, o que somos hoje e pensando filogeneticamente, é assim que nossas crianças se transformam em adultos, pensando ontogeneticamente.

Como estamos nos referindo a crianças saudáveis, temos que considerar que seus primeiros 5 anos de vida são os mais críticos enquanto determinantes de padrões de desenvolvimento físico e mental, pois é nesse período da vida que se produz a maior retenção de nutrientes, com o consequente aumento da massa tissular. O desenvolvimento do cérebro alcança seu nível mais alto entre 3 e 5 anos, com qualquer trauma que determine dano cerebral produzindo, frequentemente, danos irreversíveis, sendo a desnutrição proteico-calórica um evento que ocasiona grandes efeitos e que tem uma enorme incidência nos primeiros 6 meses de vida, bem como a privação de estímulos sensoriais entre 0 e 5 anos, levando a piores efeitos no desenvolvimento.

Assim, pensando em crianças "saudáveis" temos que considerar seu desenvolvimento, que deve ser encarado sob diversos aspectos, a saber, biofisiológico, afetivo, intelectual, sexual e social (uma vez que somos uma espécie gregária que não consegue viver de maneira isolada).

Esse desenvolvimento visa autonomia e independência, tendo-se em vista, a longo prazo, mais que a noção de ser saudável (dentro de um contexto limitado, como usualmente pensamos), uma noção que podemos denominar *eudaimonia*, enquanto "[...] algo próximo do sentir-se realizado e pleno, o fim último, o bem maior e supremo, que só poderia ser alcançado pela prática das virtudes".[c]

Um ensinamento para que se alcançasse esse objetivo proposto seria a prática da virtude durante a vida inteira, com Aristóteles dizendo que "[...] a essência da felicidade estaria na atividade virtuosa, sendo todos os demais bens condições necessárias e contributivas para ela".

Isso permitiria, ao menos sob o ponto de vista teórico, a realização das potencialidades humanas e de nossas crianças principalmente, objetivo deste trabalho.

Ao se pensar a criança, deve-se imaginar que seu desenvolvimento se estabelece por meio da integração entre ela e o ambiente circunjacente, havendo, portanto, grande influência do aprendizado, aprendizado esse que se dá muito mais de maneira informal que formal e que, portanto, se processa a partir das relações interpessoais que ela estabelece a partir de um clima de segurança, biológica e afetiva. Assim, não basta à criança "estar segura", ela precisa "sentir-se segura".

Os fatores de segurança biológica, habitualmente, independem do psiquiatra e da família, uma vez que implicam aqueles índices sociais mais do que estabelecidos e que envolvem:

1. Densidade populacional;
2. Espaço domiciliar;
3. Cultura;
4. Tranquilidade;
5. Comunidade, redes;
6. Tipo de vida;
7. Saúde;
8. Educação;
9. Transporte;
10. Meio ambiente, poluição;
11. Segurança.

Todos esses índices, além de conhecidos, são comentados e discutidos cotidianamente em diferentes meios de comunicação. Entretanto, a preocupação com eles dificilmente leva em consideração a própria criança e sim o que se espera dela

---

[c] Aristóteles. *Ética a Nicômaco*. São Paulo: Edipro, 2014.

diante das expectativas do adulto. Ainda que com essas dificuldades, creio que nunca na história da humanidade essas preocupações estiveram tão presentes.

Mesmo as atitudes e regras familiares, que, teoricamente, devem contribuir para um melhor desenvolvimento infantil, são sobejamente citadas e discutidas e também creio que nunca antes na história da humanidade houve tantas informações disponíveis para a população em geral.

Nunca, em nenhum momento da história, medidas de saúde pública estiveram tão disponíveis a uma parcela tão grande da população infantil. Nunca, em nenhum momento, tanto se falou ou se procurou melhores métodos de ensino como neste momento. Nunca, durante toda a história da humanidade, tivemos médicos melhor equipados ou psicólogos mais dedicados a orientar o comportamento naquilo que se refere à criação de nossas crianças.

Entretanto, nos encontramos em um momento no qual tudo é acessível e descartável.

Revistas democratizam o conhecimento, associações de pais estabelecem grupos de discussão visando o melhor desenvolvimento infantil, clínicas fazem orientação infantil e corrigem comportamentos, e leis tentam controlar a segurança da população infantil até mesmo no que diz respeito ao que devem ou não comer. Entretanto, apesar da maioridade do Estatuto da Criança e do Adolescente (ECA), sancionado em 13 de julho de 1990, a promoção de saúde e qualidade de vida para crianças e adolescentes ainda é um grande desafio num país continental, com intensos contrastes socioeconômicos, influências culturais variadas e iniciativas institucionais desarmônicas e (no mais das vezes) insuficientes.

Assim, a pergunta "o que se deve fazer?" continua atual e cada vez mais importante e necessária.

Pensando que uma criança saudável é aquela que tem um desenvolvimento favorável e que, para isso, diferentes aspectos de sua vida estão envolvidos, diante de uma criança qualquer devemos tentar identificar os fatores que interferem na sua experiência de vida, quais sejam:

1. Fatores Cerebrais – bioquímicos e fisiológicos, ligados a aspectos que vão desde a nutrição da criança até fatores traumáticos representados pelos traumatismos cranioencefálicos, pelos processos infecciosos e, por que não dizer, pela própria desnutrição, decorrente não só de carência como também de dietas inadequadas e impróprias;

2. Fatores Cognitivos – uma vez que o desenvolvimento cognitivo matiza, entre outras coisas, o vivenciar ansioso que também repercute no desen-

volvimento cognitivo, fatores de estresse constantes e intensos alteram de maneira significativa a vida desse indivíduo;

3. Fatores Familiares – uma vez que o grupo familiar, além de matriz de identidade, é o local de segurança e de ancoragem desse novo ser que a ele deve recorrer quando em risco e que dele depende em todo seu processo de desenvolvimento de autoimagem, estratégias de enfrentamento e desenvolvimento de valores, sua ausência, fragilidade ou o não cumprimento de papéis representa maior vulnerabilidade dessa criança.

Diante de todas essas questões, é impossível não nos perguntarmos como nossas avós e bisavós, mesmo nunca tendo lido nenhum livro ou revista de psicologia, nem, na maior parte das vezes, sequer tido conhecimento de que essas coisas existiam, conseguiram criar as gerações seguintes de tal modo que todos sobreviveram, conseguiram ter e criar novos filhos e, principalmente, souberam superar as dificuldades e vicissitudes que a vida apresenta. Mesmo com os mais otimistas dizendo que nunca uma geração teve as oportunidades que a vida atual proporciona, somos obrigados a considerar que não podemos, com isso, garantir nem a melhor capacidade adaptativa de nossos filhos nem sequer a sua satisfação e felicidade.

A resposta talvez esteja implícita no fato de que, ainda que não tendo nenhum conhecimento teórico do tema, nossas avós fizeram o melhor que sabiam com aquilo que possuíam à mão, mantendo a confiança em si mesmas, reforçadas pelo senso comum de que "o instinto maternal é infalível"... talvez tenhamos perdido boa parte disso no decorrer da pós-modernidade...

Considerando essa afirmação e partindo do óbvio, **ter mãe** é indispensável e verdadeiro, e podemos dizer que o primeiro passo para que uma criança se desenvolva de maneira saudável é **ter mãe**. Isso, aparentemente, é óbvio, mas tem se mostrado muito difícil de se concretizar nos últimos anos, uma vez que o que ocorre é que vivemos, neste momento, em uma atmosfera saturada de "ismos", com doutrinas, escolas, pais saturados por normas e regras...tudo levando à insegurança, ao medo e à incoerência de formas de se pensar em contraposição às de agir.

Os "politicamente corretos" poderiam estranhar essa última frase, referindo que o correto seria dizer que o passaporte para um filho saudável deveria ser "ter pais". Entretanto, lembramos que em menos de 10% das espécies mamíferas observamos preocupação do macho com a prole, ficando essa preocupação com a fêmea, que se torna, assim, responsável por sua sobrevivência.

Ora, o ser humano é diferente de outras espécies, diriam eles, ao que eu responderia que sim, é, porém só em parte, uma vez que as bases do nosso comportamento são muito antigas, tendo quase um milhão de anos, ao passo que as nossas condutas éticas são históricas e, por isso, muito recentes, tendo somente cerca de 2.500 anos. Assim, elas são as primeiras a desaparecer em situações de crise.

Dessa maneira, não nos é estranha a revolta da mãe de uma criança autista diante da demanda judicial do ex-marido para que a pensão alimentícia fosse reduzida em três vezes, independentemente do prejuízo que isso causaria nos cuidados para com a criança. Dizia ela:

– "É a história clássica! Depois que a criança nasceu com problemas, ele foi embora, arrumou outra mulher e agora está arrumando outro filho. Se sabia que o dinheiro não ia dar, por que está arrumando outro filho?!"

Simples! Porque esse comportamento é frequente em machos mamíferos, mesmo humanos. Um filhote, principalmente doente, é, muitas vezes, pouco importante e a demanda de um novo filhote, saudável, que supra seu desejo de continuidade é, para um macho, bastante frequente. Assim, a preocupação com a alimentação do novo filhote torna-se importante e o abandono do antigo, aparentemente justificável. Abandonam-se assim os 2.500 anos de ética e, principalmente, os 50 anos de "politicamente correto", em que pesem as postagens nas redes sociais, discussões sociológicas e debates jurídicos.

Por isso, sem deixarmos de lado a importância do pai para a espécie, reiteramos a ideia de que o primeiro e mais importante passo para uma criança saudável é ter mãe!

Claro, no entanto, que enquanto espécie estamos criando uma nova técnica, uma vez que muitas vezes estamos terceirizando a criação dos filhos, o que faz com que, cada vez mais, ao examinar uma criança, tenhamos que recorrer às babás e enfermeiras para que possamos ter uma visão clara da criança e de seu desenvolvimento.

A insegurança em criar filhos tem tanto peso que podemos observar que as tribos que mais temem pelo futuro de seus filhos são exatamente aquelas que tropeçam nos maiores problemas educacionais, uma vez que o medo impulsiona os pais em direção àquilo que tentam prevenir. Talvez seja exatamente isso o que estamos fazendo e, com isso, acabamos criando filhos de uma maneira tal que estes têm dificuldades adaptativas, baixa resistência às frustrações, falhas na aceitação de normas, hierarquia e autoridade e tudo isso se reflete em algo básico:

insatisfação, infelicidade e problemas de sobreviver em um mundo que, apesar de tudo o que é dito por meio da mídia, é cada vez mais competitivo, exigente e incapaz de ceder naquilo que se refere às demandas individuais.

Vamos então tentar, de maneira rápida e despretensiosa, ver quais seriam as possibilidades e as características necessárias para se tentar criar uma criança o mais saudável possível. Para isso, temos que considerar algumas pequenas coisas como "quando uma criança apresenta, de repente, uma reação insólita que incomoda a todos, nossa tarefa (e a dos pais também) é procurar entender o que está acontecendo"[d] e não procurar somente "encaixá-la" em "listagens" e modelos diagnósticos e isso pode significar diferentes coisas que vão desde o ter ficado magoada ou não compreender a fala de um adulto próximo até o não estar feliz (sim, simplesmente feliz) na escola em que estuda, mesmo que seja um supercolégio e que ela diga que "não quer sair dali", pois afinal é somente essa que ela conhece e não tem o menor padrão de comparação que não seja o da segurança do conhecido.

---

[d] Dolto F. *Quando os filhos precisam dos pais*. São Paulo: Martins Fontes, 2014.

2
A Democracia Familiar ou "Sua Majestade, o Bebê – A Ditadura Infantil"

A importância da criança em nossa cultura é muito recente e a preocupação com ela é mais recente ainda. Na Antiguidade, ela era considerada posse dos pais e, como tal, poderia ser dada, vendida ou negociada. Não que isso ainda não ocorra em algumas regiões, mas trata-se de uma ideia que nos choca e que consideramos desumana.

Durante a Idade Média, a criança era vista como um pequeno adulto, auxiliando os pais na medida em que possuísse alguma autonomia. Embora isso ainda persista em várias regiões do mundo, com crianças trabalhando em situações degradantes para auxiliar suas famílias, também é uma ideia que nos choca. Entretanto, já nos é difícil ficarmos tão chocados quando vemos uma adolescente desfilar como modelo ou uma criança cantar na televisão ou atuar no cinema. Por que isso? Provavelmente porque consideramos alguns trabalhos "mais dignos" que outros e para nós "cortar cana" é muito pior e degradante do que dançar "a boquinha da garrafa" na TV.

Se nos aproximarmos um pouco mais no tempo veremos a criança inserida dentro de uma estrutura familiar extensa, com regras e valores rígidos e muito bem estabelecidos, com ela sendo educada e, por que não dizer, treinada a se submeter às regras adultas de maneira a que, ao crescer, se transformasse em um

adulto "saudável", adaptado e adequado ao mundo em questão. Para os mais saudosos, basta se lembrar da série de TV dos anos 1950 *Papai sabe tudo*, que como o próprio nome diz, mostrava as aventuras de uma família típica do *American way of life*, com um pai bondoso, porém onisciente, que resolvia as eventuais desavenças familiares e uma mãe que, típica representante do papel da mulher da época, administrava e cuidava da casa de maneira constante e sem conflitos.

A partir dos anos 1960, essa situação se alterou, não somente pela maior entrada da mulher no mercado de trabalho nem tampouco pelo papel dos movimentos feministas, mas a partir dos movimentos de jovens que, questionando as regras e as estruturas estabelecidas e não discutidas havia muito tempo, passaram a exigir, cada vez mais, direitos e liberdades que em nenhum momento da história haviam sido sequer discutidos, uma vez que desde a Grécia e Roma o papel dos velhos e dos anciãos era inquestionável e símbolo da sabedoria da cultura. Não é por acaso que a figura mítica do mago (vale lembrar Merlin ou Gandalf, para os fãs da cultura pop) está sempre presente nos contos de conteúdo medieval ou fantástico como figura de sabedoria com a qual os mais jovens se aconselham. Cria-se, assim, uma "cultura jovem", com imagens e regras próprias, digerida e assimilada pela indústria de consumo, que vê nessa população uma fonte inesgotável de rendimentos e de possibilidades.

Nós, pais e avós de hoje, somos essa geração, crescida e estabelecida sob o signo da contestação e da liberdade, a geração na qual se tornou "proibido proibir" e que criou e aproveitou a máquina do consumo de modo inimaginável para as gerações anteriores. E é de nossos filhos e netos que estamos falando, pois deu-se então uma revolução copernicana na qual o adulto, que era o centro da casa, principalmente pai e mãe, passou a ser um satélite acessório, orbitando ao redor da criança.

Assim, pela importância recém-adquirida, a criança governa e é soberana em um ambiente restrito, com regras muitas vezes ditadas por ela e que reage à menor de suas vontades e sentimentos.

Com isso, a hierarquia da casa é invertida.

Claro que uma afirmação dessas, solta no tempo e no espaço, não tem a menor credibilidade, portanto vamos refletir um pouco sobre o fato.

O processo de desenvolvimento da criança é uma larga caminhada que vai da total dependência e heteronomia em direção à autonomia. Para que isso ocorra, ela se desenvolve cognitiva e afetivamente, conforme já falamos, em função de suas características pessoais (genéticas) que interagem com o ambiente. Como diz Piaget,[a] ela constrói seu próprio conhecimento, mas para isso depende do aporte ambiental, que, também como já dissemos, é realizado muito mais a partir de condutas que os familiares tomam em relação a ela do que de discursos e tentativas de reflexão a respeito.

Entretanto, na modernidade, observamos uma situação inusitada. É a criança quem manda e decide. Seus desejos são ordens e a frustração deles impossível, uma vez que pode levar a "traumas" e problemas futuros, conforme falam, muitas vezes, os especialistas de plantão.

Entretanto, vejamos: uma criança ao redor dos 4 anos de idade encontra-se em um período de desenvolvimento que Piaget denomina pré-operatório e que, entre outras coisas, se caracteriza por um pensamento egocêntrico (centrado na própria experiência, que, vamos lá, pela própria idade, não deve ser muita), dificuldades no estabelecimento de limites entre real e imaginário e presença de imagens mentais de estocagem (memória), bem como uma moral heterônoma (que vem de fora para dentro, ou seja, ela distingue o que é certo daquilo que é errado a partir do adulto com quem interage).

Ora, na atividade clínica, entretanto, não é infrequente nos depararmos com mães que, desesperadas, nos referem a rebeldia de seus filhos argumentando que "já explicaram muitas vezes e ele não quer entender o que ela fala".

Sem dúvida, uma criança nessa idade é muito pouco acessível a argumentos, uma vez que esses são, habitualmente, lógicos e o pensamento lógico não faz parte de seu repertório (lembre-se de que uma criança nessa idade usa um pensamento pré-lógico, que alguns autores denominam pensamento mágico, portanto sem lógica) e, assim, argumentos não são capazes de convencê-la ou sequer lhe chamam a atenção.

Mais ainda, temos que nos lembrar que, conforme dissemos antes, ela possui somente imagens mentais de estocagem e não imagens mentais antecipatórias. Desse modo, ela não será capaz de prever a consequência de seus atos e, portanto, o discurso materno é predominantemente inútil.

Se você não quer que seu filho faça algo nessa idade, simplesmente diga: "Não!". Você pode até explicar um pouquinho depois, mas não se perca em explicações e narrativas extensas, pois o tempo atencional dele é curto e sua memória também. Isso sem falar no pensamento pouco lógico.

Não se desespere também achando que ele deixará de gostar de você.

[a] Piaget J, Inhelder B. *A psicologia da criança*. São Paulo: Difel, 1974.

Habitualmente, a negativa de algo e a condução por determinado caminho passam à criança a sensação de segurança e, lembre-se, já falamos antes, uma criança tem que estar segura, mas também tem que se sentir segura.

Se você não tem segurança para dizer o que seu filho não pode fazer, como quer que ele venha a tê-la?

Você é seu exemplo e seu porto seguro.

Suas dúvidas passarão para seu filho ampliadas e você estará contribuindo para formar alguém que não sabe decidir (pois você não forneceu modelos) e que não pode ser frustrado (porque você não o permitiu. Mas lembre-se, a vida é frustrante, ninguém pode, em sã consciência, achar que as frustrações passarão ao largo dela).

Imediatamente você me dirá que isso é fácil de se falar com relação a crianças de 4 anos, mas que crianças maiores causam maiores dificuldades.

Isso é verdade, embora você tenha que pensar que o processo educacional é algo contínuo, que se estabelece desde o momento em que a criança nasce e se perpetua até o momento em que ela se torna independente e sai de casa, apta para viver só. Assim, uma criança de 9 anos já deve ter sido educada de maneira adequada até o presente momento.

Vamos ver, no entanto, como ela é.

A criança com 9 anos de idade já se encontra naquele período que Piaget chama de operações concretas e que se caracteriza pela capacidade de estabelecer hipóteses a partir de um dado empírico.

Isso pode parecer muito difícil, porém torna-se fácil visualizarmos quando essa criança, independentemente das informações do meio, deixa de acreditar no Papai Noel a partir de um raciocínio simples, mas eficaz (claro que sei que crianças deixam de acreditar no referido senhor entre 6 e 7 anos, mas esse corresponde ao mesmo período...).

Dado empírico	A criança acorda e encontra um presente embaixo da árvore de Natal
Hipótese	Foi o Papai Noel que trouxe o presente (por influência ambiental, surge aqui a dúvida)
Método	Finjo que estou dormindo e "pego" o Papai Noel em flagrante (claro que no ano seguinte)
Resultado	O Papai Noel não existe e é o meu pai que traz o presente

Os mais céticos diriam que é uma simples questão educacional e que, se criarmos nossas crianças de maneira "politicamente correta", elas serão imunes a essas ideias preconceituosas e capitalistas.

Embora eu também saiba que o Papai Noel não é uma ideia capitalista (mas sim usada pelo sistema capitalista, pois ele é muito mais antigo e não me cabe aqui discutir sua origem), o que estou tentando mostrar é como a criança pensa e, consequentemente, você que é mãe deveria agir compreendendo-a.

Lembre como seu filho agia quando você dizia a ele, com meros 4 anos de idade, que o Papai Noel não existia (considerando você uma mulher engajada que quer criar seus filhos isentos dos preconceitos deste mundo injusto...):

Mãe	Filho de 4 anos
— O Papai Noel não existe!	— Existe, porque eu o vi no shopping center.
— Mas você não reparou que tinha um homem por debaixo da máscara? (argumento lógico da mãe politicamente correta)	— Esse é que é o de mentira. O que traz o presente no final do ano é o de verdade. (inacessibilidade do argumento lógico para alguém com dificuldades na separação entre real e imaginário)

Essa questão é interessante de se pensar, pois o nosso menino com 9 anos de idade já tem um pensamento lógico e, o que é de fundamental importância, já consegue perceber e pensar regras (visível na utilização de brinquedos de regras, jogos como damas, xadrez, banco imobiliário ou outros) e, o que é muito mais importante, é capaz de segui-las, desde que ensinado a tal.

— Onde se aprende a seguir regras?

— Na sua casa, onde mais?

Se você for "engajada", ainda vai me perguntar por que isso é importante e, claro, vou dizer que é porque somos gregários e animais gregários, para viverem em bandos (e nós vivemos em grandes bandos que chamamos de cidades ou países), têm que seguir regras sob pena de serem expulsos dos mesmos ou de se tornarem extremamente infelizes. Experimente pensar em algumas coisas básicas, por exemplo, que seu filho ao se tornar adulto, em um determinado momento do ano, vai ter que pagar o imposto de renda, independentemente de sua posição política ou de concordar ou não com ele. Se não o fizer, estará sujeito a uma série de sanções que, também, são pouco discutíveis. Caso não queira pagar, ele poderá mudar de país, mas isso implicará que ele sairá de um conjunto de regras estabelecidas para outro conjunto de regras e, convenhamos, nenhum conjunto de regras abole a frustração e torna alguém feliz. Dessa maneira, é responsabilidade sua ensiná-lo a conviver com regras que nem sempre são discutíveis e que, uma vez quebradas, ocasionam consequências. Isso mesmo. Consequências e não castigos. Assim, não fazer as tarefas da escola significa ter más notas, ser reprovado e não mudar para uma escola mais fácil ou procurar a professora para "amenizar" o fato a fim de que ele não se traumatize. Qualquer fato gera consequências e deve-se aprender isso desde muito cedo, afinal, quem falou que a vida é simples? Ou que vamos sempre ser satisfeitos? Ou que não pagaremos o preço de nossos atos? Você é a responsável por ensinar a seu filho tudo isso e, ao conversarmos sobre isso, algumas coisas me vêm à mente.

Há algum tempo, voltando de uma viagem intercontinental, ao descer do avião, indo tomar um café, comentava com minha mulher a respeito de uma família que no avião via seus filhos com 8 e 10 anos (creio), durante as 12 horas de viagem, apostarem corrida pelos corredores, fazerem barra nos ônibus que transportavam passageiros, sempre com um olhar condescendente e sorridente, como que dizendo:

"Vejam que filhos maravilhosos e curiosos temos", sem se preocuparem ou nem mesmo perceberem o quanto eram inadequados e perturbavam os demais passageiros.

Qual não foi a minha surpresa quando, exatamente durante essa nossa conversa, minha mulher, sentada no café e comendo, foi literalmente "atropelada" por outro garoto de 10 anos em seu patinete que, junto com sua família, entrou pela lanchonete sem a menor cerimônia, dirigindo-o a toda e, também, sob o olhar condescendente e admirado dos pais.

Após o segundo "atropelamento" e o meu olhar feio, a mãe pediu desculpas, porém com aquela cara de: "Puxa! Vocês não veem que é uma criança, é preciso entendê-la...".

Errado! Ninguém tem que ter paciência com o filho dos outros e eles devem, desde muito cedo, saber que irão viver em sociedade e que grupos "exigem" regras de convivência que devem ser aprendidas, sendo muito pouco tolerantes para com quem as desrespeita. Assim, ensine seu filho a ter um mínimo de educação que lhe permita a convivência em grupos sociais.

Aliás, porque nada é pior do que se almoçar aos domingos com crianças que não param sentadas (sem serem hiperativas), correndo por todos os lados do restaurante (ou da festa ou mesmo da casa), gritando, brincando e atrapalhando a todos, simplesmente porque não foram ensinadas a terem nem educação e cortesia, muito menos a respeitarem limites, esquecendo-se que a vida em comunidade depende, e muito, dessas regras básicas.

Em função disso, surgem imensas e bizantinas discussões teóricas quando hotéis, restaurantes ou até mesmo companhias aéreas criam áreas "livres" de crianças. Ora, o correto seria "áreas livres de crianças que não foram devidamente educadas".

Essas regras nem sempre são explícitas e claras, mas, mesmo quando implícitas, devem ser percebidas e respeitadas, pois até mesmo a distância física que estabeleço com alguém, seja ele estranho ou conhecido, tem que ser percebida e respeitada sob pena de consequências desagradáveis.

Finalmente, você irá me questionar dizendo que adolescentes são difíceis e que não estamos mais no momento em que eles obedeciam cegamente às ordens de seus pais, uma vez que algumas condutas se generalizaram e que, por isso, impedir algumas de suas atividades significa se "afastar" do próprio filho ou impedir o desenvolvimento de sua criatividade.

Em parte, tal afirmativa é verdade, uma vez que um adolescente já possui o que chamamos de pensamento formal e, como tal, é capaz de fazer abstrações e de pensar hipóteses sobre outras hipóteses. Assim, ele é acessível a argumentações e às consequências, embora, para consolidação de sua própria personalidade, ele tenha que questionar as regras. Seu papel de mãe, no entanto, é ensiná-lo a ver que ele pode fazer tudo aquilo que quiser, desde que seja o responsável pelas consequências e que ninguém, nem mesmo você, tem que concordar com ele, pois as decisões são sempre pessoais e os preços a se pagar também são pessoais e intransferíveis (assim, faltar às aulas significa ter notas baixas e arcar com as consequências, inclusive familiares).

Não caia no discurso de que todos os pais de amigos concordam e que o que você fala é só um preconceito. Na verdade, o que ele está fazendo é chantageá-la para que concorde e ele possa dividir a responsabilidade e a culpa do próprio ato. Isso faz parte do momento de desenvolvimento dele e o seu papel é auxiliá-lo, não dividindo o peso da culpa e da responsabilidade, mas fazendo-o ver o ônus das próprias decisões.

À guisa de ilustração, um rapaz de 18 anos de idade recém-completos vem ao meu consultório extremamente ansioso, pois os pais tinham descoberto maconha em sua casa e o pai, argumentando com ele, disse que respeitava sua decisão, mas que as regras da casa dele (pai) não permitiam o consumo de maconha e que, assim, ele teria que decidir o que queria: a maconha ou continuar em casa. Caso optasse pela maconha, teria que começar a trabalhar e a se sustentar, pois o pai passaria a pagar somente a faculdade.

Ao chegar à consulta, o rapaz se encontrava extremamente ansioso e irritado, dizendo que esperava a compreensão dos pais, pois a não aceitação do uso da maconha era somente um preconceito, pois ela não era tão daninha como o álcool e que eles eram "quadrados" e inacessíveis a qualquer argumentação mais progressista.

Após ouvi-lo, disse que concordava com ele e que achava que, realmente, era uma questão cultural e que deveria ser pensada como tal, mas que as regras dos pais eram deles e eu não via como alterá-las.

Em função disso, ele me perguntou se eu não achava que isso era inflexibilidade e pouca atualização de seus pais e se eu não falaria com eles. Estabeleceu-se, então, um diálogo que considerei interessante para que se compreenda o pensamento adolescente.

— Realmente eu acho que o grande problema da maconha é que é ilegal e que, para não ter problemas, você deveria recolher alguns milhões de assinaturas para que se elabore um projeto de lei...

— Sim. Isso seria o correto, mas meus pais deveriam ser mais compreensivos e me entender...

— Também acho, mas gostaria de perguntar algo. Como você ficaria se eu lhe contasse que sua mãe está tendo um caso com seu vizinho?

— Como?!

— Sim. Como você ficaria se eu lhe contasse que sua mãe está tendo um caso com seu vizinho? Isso também é mera convenção. O casamento monogâmico tem ao redor de 2.500 anos, o casamento por amor, menos de 200, portanto, isso me parece uma convenção absurda e ultrapassada. Assim, como você se sentiria se eu lhe contasse que sua mãe tem um caso com seu vizinho?

— Mas isso não vale, porque pega nas coisas que a gente sente.

— Pois é. Acho que é igual. Você se sente mal com essa ideia, assim como seus pais se sentem mal com a ideia da maconha. Mero preconceito. De todos. Por isso, acho que a gente deve pensar o que quer e quanto paga por isso. Se você acha que a maconha é tão importante, tem que se organizar para viver com ela e pagar o preço exigido. O que não pode é querer dividir o custo...

Claro que para um diálogo como esse acontecer entre pais e filhos ele deve ter sido estabelecido antes de o problema surgir, pois demanda confiança mútua e o exercício de um poder que não deve ter sido estabelecido agora. Isso porque ser pai e mãe não é ser "amiguinho" dos filhos. Pai e mãe são papéis importantes, que não permitem a cumplicidade em determinadas situações. Uma família é um organismo hierárquico e, assim, o poder se estabelece a partir da díade pai-mãe. Quando os filhos possuem o mesmo poder dos pais o sistema se torna disfuncional.

Sei o que você está pensando e não estou defendendo um regime de autocracia dos pais. Estou dizendo que pais são importantes enquanto figuras de autoridade, para que a criança, em seu processo de desenvolvimento, se sinta segura e internalize condutas e valores. Isso não se faz por meio de discursos, mas sim de atos, atos que mostrem coerência, flexibilidade, reflexão, capacidade de diálogo e, principalmente, interesse e proximidade e não somente por ocasião do aparecimento dos problemas, mas a partir do compartilhamento da vida em toda a sua plenitude e desenvolvimento.

Você vai errar em algumas decisões? Com toda certeza! Porém, como ser humano que é, vai admitir seu erro e corrigi-lo, pedindo desculpas se necessário, dizendo (por exemplo) que estava nervosa.

Desse modo, você estará ensinando ao seu filho muitas coisas, entre as quais saber que todos podem errar, mas que os erros devem ser corrigidos por aquele que os fez e que, para isso, é preciso ter a humildade de admitir o erro, a capacidade de corrigi-lo e a coragem de arcar com as consequências desse erro.

Evitam-se, assim, as humilhações (principalmente as públicas), que diminuem a autoestima da criança sem que, no entanto, se abra mão da autoridade e do papel de pais.

Não adianta você ser liberal quanto a achar que não há nenhum problema em sua filha adolescente trazer o namorado para dormir com ela em casa e se aborrecer por ter que escutá-la transando no quarto ao lado.

A consequência é óbvia e você precisa saber se paga o preço. Isso é coerência.

Estou, no entanto, criticando, de maneira cabal, o domínio autocrático da criança, tão comum e visível em nossos dias, uma vez que com isso se criam verdadeiros tiranetes que dominam, principalmente, as mães, obrigadas a lhes satisfazerem as menores vontades e a minimizar as eventuais frustrações que a vida cotidiana apresenta. Deve-se ter muito claro que a criança é parte importante da família, mas a família que, assim como ela, possui outros membros que também devem ser satisfeitos e que não existe somente como um grupo de indivíduos destinados a satisfazer-lhe a vontade.

Finalmente, a luta pela supremacia entre pais × filhos me parece infantil, dispendiosa e inútil, uma vez que a autoridade não é discutida, mas, para que exista, deve ser construída, não por meio da força, mas sim pela coerência, pelo respeito e pela proximidade. O diálogo é fundamental, embora tenha que estar concorde com o momento de desenvolvimento da criança. Grandes argumentos não cabem para uma criança de 4 anos, da mesma maneira que atitudes autocráticas são mais difíceis com adolescentes, mas todos têm que saber que a vida em comum só existe a partir de regras claras, não burladas e com consequências quando rompidas. Em função disso, se espera a construção de atitudes de cooperação que permitirão que esse indivíduo, ao crescer e se tornar independente, seja capaz de viver com outras pessoas. Ter satisfeitas, imediatamente, todas as suas necessidades, não ensina ninguém a viver com o outro e esse aprendizado dá-se em família. Viver em conjunto significa um sistema de regras com obrigações e direitos claros e muito bem estabelecidos (pelos pais, visto que uma família não é um sindicato nem uma cooperativa) e que, quando rompidos, ocasionam consequências previsíveis, imutáveis e inegociáveis.

É assim que começamos a criar crianças saudáveis, capazes de vida em comum e capazes de buscar a própria felicidade sem esperar que esta seja um direito divino inalienável.

3

A Superproteção ou "A Irmandade das Mães Precavidas Que Não Evitam Nada"

Independentemente da religião que professamos, a senhora, assim como todos nós, se lembra das aulas de catecismo, nas quais aprendíamos sobre o pecado original, que habitualmente compreendíamos como o pecado da desobediência mas que, na realidade, implicava a capacidade de pensarmos e decidirmos, arcando com o peso das nossas decisões, conforme falamos no capítulo anterior. Nesse momento, um Deus irado castigava Adão e Eva expulsando-os do Paraíso, retirando a servidão da terra e de toda a criação, que passa, então, a lhe ser hostil e pouco generosa.[a]

[14] *Então, o SENHOR Deus disse à serpente: Visto que isso fizeste, maldita és entre todos os animais domésticos e o és entre todos os animais selváticos; rastejarás sobre o teu ventre e comerás pó todos os dias da tua vida.*

[15] *Porei inimizade entre ti e a mulher, entre a tua descendência e o seu descendente. Este te ferirá a cabeça, e tu lhe ferirás o calcanhar.*

[16] *E à mulher disse: Multiplicarei sobremodo os sofrimentos da tua gravi-*

---

[a] *Gênesis 3:14-23.*

dez; em meio de dores darás à luz filhos; o teu desejo será para o teu marido, e ele te governará.

[17] *E a Adão disse: Visto que atendeste a voz de tua mulher e comeste da árvore que eu te ordenara não comesses, maldita é a terra por tua causa; em fadigas obterás dela o sustento durante os dias de tua vida.*

[18] *Ela produzirá também cardos e abrolhos, e tu comerás a erva do campo.*

[19] *No suor do rosto comerás o teu pão, até que tornes à terra, pois dela foste formado; porque tu és pó e ao pó tornarás.*

[20] *E deu o homem o nome de Eva a sua mulher, por ser a mãe de todos os seres humanos.*

[21] *Fez o SENHOR Deus vestimenta de peles para Adão e sua mulher e os vestiu.*

[22] *Então, disse o SENHOR Deus: Eis que o homem se tornou como um de nós, conhecedor do bem e do mal; assim, que não estenda a mão, e tome também da árvore da vida, e coma, e viva eternamente.*

[23] *O SENHOR Deus, por isso, o lançou fora do jardim do Éden, a fim de lavrar a terra de que fora tomado.*[b]

Dessa maneira, por mais que nos tenhamos esforçado e transformado o mundo em um local onde conseguimos controlar muitas das dificuldades, tendo em vista única e tão somente a satisfação de nossas necessidades, o planeta ainda demanda cansaço e trabalho (quer seja braçal quer seja intelectual, porque nada cai do céu há muito tempo) para satisfazer às nossas necessidades.

Entretanto, alguns milhares de anos depois do pecado original, parece-nos que as mães modernas se esqueceram dessa situação e decidiram, por sua própria vontade, que seus filhos não devem sofrer nenhum tipo de frustração e que, consequentemente, o mundo foi concebido para lhes agradar e proporcionar a maior quantidade possível de realizações e de prazeres. Creio, entretanto, que se esqueceram de dizer isso somente ao mundo, posto que a vida continua correndo de modo similar àquela dos últimos milhares de anos.

Dessa maneira, a ocultação de fatos ou a abolição de limites, tão em voga na modernidade, não são nem necessárias nem naturais.

Se pensarmos na morte, enquanto limite máximo, podemos dizer que crianças começam a perguntar sobre ela lá pelos 3 anos de idade e até por volta dos 7 anos não têm qualquer angústia no que se refere ao tema.[c]

---

[b] *Gênesis* 3:14-23.

[c] Dolto F. *Quando os filhos precisam dos pais*. São Paulo: Martins Fontes, 2014.

Considerando-se que esse é um período de pensamento pré-lógico, uma resposta do tipo "morremos quando deixamos de viver" pode ser óbvia, porém é útil.

O que não é útil é impedir que a criança saiba que um ser familiar e importante morreu ou não deixar que ela participe dos rituais que envolvem o desaparecimento desse familiar, pois isso, além de ocultar o fenômeno, é uma desconsideração para com ela, impedindo-a de aceitar e aprender a conviver com os limites inevitáveis da vida.

Fazemos isso durante toda a infância e adolescência e depois estranhamos quando um jovem que se recusa a continuar estudando (porque tem dúvidas sobre o que fazer) e que não quer trabalhar (porque refere que "não está pronto") diz:

— "É muito difícil para mim quando as coisas não dão certo. Eu não aguento a frustração, ela dói muito!"

Tolerância às frustrações é um dos objetivos do processo educativo e, portanto, lembre-se de que seu filho viverá em um mundo que não fará o menor esforço para se adaptar a ele.

No entanto, embasadas nos livros e nos especialistas que declaram que se a criança for frustrada pode se desenvolver de maneira a apresentar futuros traumas, as mães acabam criando filhos mimados, superprotegidos, dependentes e muitas vezes, como dissemos antes, verdadeiros "tiranetes", incapazes de resistir à frustração e às exigências, cada vez maiores, do cotidiano.

Assim, seria interessante se pensassem em quem lhes disse que a vida é fácil? Ou que todas as nossas vontades serão satisfeitas no decorrer dela? Ou ainda (conforme ouvimos em nossos atendimentos cotidianos) que ela é justa?

Alto lá!

A vida não é nada fácil. Como já disse Gonçalves Dias, poeta brasileiro do século XIX:

Não chores, meu filho;

Não chores, que a vida

É luta renhida:

Viver é lutar.

A vida é combate,

Que os fracos abate,

Que os fortes, os bravos

Só pode exaltar.[d]

---

[d] Gonçalves Dias. *Canto do tamoio.*

Parece, entretanto, que as mães modernas se esqueceram que seus pimpolhos não possuem a garantia de virem a ter serviçais, nem mesmo de conseguirem manter o padrão de vida que elas lhe proporcionam, tal a quantidade de facilidades, poucas responsabilidades e superproteção com que os mimam.

Você já parou para pensar quantas vezes você consegue impor um limite a seu filho sob a desculpa de que "é tão pouca coisa", "eu fico tão pouco com ele" ou "não consigo aguentar ele chorando ou fazendo birra..."?

Dessa maneira, é quase inimaginável se pensar em uma criança de qualquer classe tendo que se preocupar com arrumar a própria cama ou mesmo tendo que colocar suas roupas sujas no cesto adequado para que ela seja lavada. Delegou-se esse tipo de "atividade menor" às babás, empregadas ou à própria mãe. Assim, falar em o "reizinho da casa" auxiliar em alguma tarefa doméstica, como lavar ou enxugar a louça, ou mesmo auxiliar em sua arrumação, torna-se praticamente inimaginável.

É exatamente esse tipo de conduta que nos leva a observar crianças com 7 anos de idade falando para a professora:

"Meu pai paga você, por isso você tem que fazer o que eu falei..."

E a professora, subserviente, submete-se à vontade infantil sob pena de perder o emprego ou de ser censurada publicamente por não ser politicamente correta e frustrar o novo "sinhozinho" que foi construído em casa e constituído na sala de aula.

O Que Esperamos Verdadeiramente de Nossos Filhos?

Será que podemos ter tanta certeza assim de que eles sempre terão à sua disposição pessoas bem-intencionadas e que façam as tarefas menores para que eles, "gênios infinitamente superiores" ao restante da população, possam se dedicar a atividades mais importantes e respeitáveis?

Será que não percebemos que o movimento da humanidade é para que, cada vez mais, as pessoas sejam capazes de cuidarem de si mesmas, uma vez que o custo da mão de obra vai se tornando cada vez mais alto? Ou será que pensamos que, diferentemente das demais gerações, vamos continuar a viver eternamente para que nossos pimpolhos tenham sempre uma mamãezinha a sua disposição para acordá-los, recolher a roupa suja do chão de seu quarto, lavá-la, arrumar toda a casa e que, quando eles chegarem muito cansados de suas atividades diárias (que, além de tudo, as horas de lazer que constituem sua "qualidade de vida" não lhes podem ser tiradas nem podem ser estressoras ou cansativas), tenham sempre uma comida pronta e quentinha, feita com a maior qualidade e carinho?

Como imaginamos que esses nossos "gênios" se comportarão enquanto profissionais, companheiros ou, pior que tudo, como novos pais?

Isso porque, para que alguém se constitua como pai, deve deixar de ser filho e essa mudança não é um fenômeno natural, é algo aprendido, custoso e que deve ser muito elaborado, pois significa a perda de vantagens, do pouco comprometimento e da pouca responsabilidade em função do significado maior que é ter um filho e alguém para cuidar por muito tempo (aliás, se pensarmos na maioria dos nossos filhos, temos que nos perguntar se eles sairão da nossa casa sob a sua própria responsabilidade ou se continuaremos a cuidar deles à distância. Até quando?).

O interessante é que são essas mesmas mães que criticam seus maridos por não as auxiliarem, exigindo delas uma "jornada dupla".

Ora, é criando os filhos que passamos valores. Se não mostrarmos (e, aqui, os pais se incluem) que gostar de alguém é colaborar com ele e que, por isso, auxiliar em algumas tarefas é expressão de afeto e, portanto, ligada ao prazer de se gostar do outro e não uma obrigação contratual, jamais ensinaremos nossos filhos nem autonomia, nem capacidade de cooperação, nem ao menos a proximidade que existe em cuidar e gostar.

É assim que gestamos um fenômeno interessante que os sociólogos denominam geração Y.

Geração Y

Essa geração, também chamada geração do milênio ou geração da Internet, se refere ao grupo de nascidos após 1980 até meados da década de 1990, sendo sucedida pela chamada geração Z.

Ela se desenvolveu numa época de avanços tecnológicos e, principalmente, de prosperidade econômica e facilidade material, em ambiente altamente urbanizado, diretamente ligada ao domínio da virtualidade como sistema de interação social e midiática e com influência marcada no nível das relações de trabalho. Se os *baby boomers* (a nossa geração, nascida nos anos 1950 e 1960, ou seja, os avós de seus filhos) surgiram após o final da Segunda Guerra Mundial, influenciados pela Guerra Fria e por um mercado de trabalho altamente competitivo, a chamada geração X foi concebida no período de transição para o novo mundo tecnológico e essa geração Y foi a primeira verdadeiramente nascida nesse meio. Assim, ela é eminentemente urbana e se observa uma diferença significativa entre a prosperidade econômica e os níveis de interação material quando comparadas as duas gerações, X e Y, sendo a quantidade de artefatos disponíveis na primeira muito menor que na segunda, com possibilidades de descarte e de liquidez muito maiores.

Os conceitos de descarte e atualização são muito constantes, induzindo ao desperdício e ao consumo, o que cria nossos filhos familiarizados com a baixa durabilidade e efemeridade tanto dos produtos quanto dos relacionamentos, com um ambiente volátil, sem profissões seguras ou absolutas e com a lógica do trabalho adquirindo um novo significado e um grau de comprometimento totalmente diferente do observado anteriormente. Ela foi, assim, afastada dos trabalhos braçais e sobrecarregada por "prêmios" e facilidades materiais em troca de pouco ou nenhum esforço, o que pode ter ocorrido devido a uma possível compensação, por parte de pais originários da geração X, que tentaram compensar uma eventual lacuna material pelo qual podem ter passado quando comparada às prosperidades econômicas da geração X com a da Y, ao mesmo tempo que também passaram a tentar viver esse nível de materialismo econômico por meio de seus filhos e netos.

Assim, cabe uma questão: o que pretendo de meu filho quando não exijo nada dele, nem considero que qualquer esforço seja despendido para que ele obtenha aquilo que deseja? Será que acredito que, desse modo, ele conseguirá, no futuro, sobreviver a contento? Será que acredito que, sem estar habituado a ser frustrado, ele conseguirá tolerar as frustrações que a vida cotidiana vai lhe apresentar?

Isso porque nós os estamos ensinando a crescer em atividades e tarefas múltiplas (algumas vezes, com agendas mais sobrecarregadas que as dos próprios pais), sendo acostumados a conseguir o que querem sem esforço ou prazos consideráveis, não se sujeitando às tarefas subalternas de início de carreira e sendo extremamente ambiciosos desde muito cedo, em geral com a suposição de que são fantásticos e que, por seus eventuais conhecimentos, dispensam quaisquer outros atributos, inclusive sociais e de relacionamento. É comum que nossos filhos troquem de escola ou de emprego com frequência em busca de oportunidades que ofereçam mais desafios ou, na maioria das vezes, para se evadirem das dificuldades ocasionais que os frustram. Não conseguimos fornecer coerência na percepção do significado de sua atividade, o que dificulta seu engajamento e, principalmente, sua independência.

Sua grande expectativa (muitas vezes estimulada por nós mesmos, que preocupados com nossa própria vida, descobrimos grandes "babás eletrônicas", representadas pelos *smartphones* e computadores) é a de ter informação e, principalmente, entretenimento disponíveis em qualquer lugar e em qualquer altura, embora sempre considerando que esse bem-estar lhes é algo de direito e não que deve ser obtido a partir de um esforço pessoal, pois "eles merecem isso". São, assim, extremamente individualistas e competitivos, com conhecimento, no mais das vezes superficial e ligado, também, às questões do consumo e da descartabilidade.

Só que essa geração já cresceu e alguns já são pais. Assim, temos que nos preocupar com outra geração, a geração Z.

Geração Z também é uma definição sociológica para definir a geração de pessoas nascidas na década de 1990 até o ano de 2010, no *boom* da criação de aparelhos tecnológicos, com várias opções entre elas. Por estarem passando no Brasil por um grande período de recessão, que atinge sobretudo os jovens, as gerações Y e Z passaram a ser dominadas por um sentimento de insatisfação e insegurança quanto à realidade e ao futuro da economia e da política. Seus filhos serão obrigados a se defrontar com essas situações. Essa geração é confrontada com uma diferença de renda cada vez maior em todo o mundo e uma classe média que diminui, o que leva à grande possibilidade de suas vidas serem piores que as de seus próprios pais, o que leva ao aumento dos níveis de estresse nas famílias, com possibilidades grandes de desemprego e precariedade.

Será que a superproteção e o impedimento constante da frustração e do se defrontar com limites físicos, intelectuais, econômicos e sociais são um modo coerente e eficaz de ensinar seu filho a desenvolver recursos para lidar com suas próprias dificuldades?

Você já parou para pensar que se conhecer é saber limites e possibilidades e que esse conhecimento é de fundamental importância para que se possam estabelecer projetos existenciais factíveis, diminuindo assim o índice de estresse?

Você já considerou que "o céu não é o limite" para ninguém e que aprender com as próprias limitações é de fundamental importância para qualquer ser vivo?

Se já pensou nessas questões todas, tenho certeza de que seu filho não é o "reizinho da casa" e sim somente mais um elemento que participa, de maneira a contribuir para o bom andamento da família, e que isso significa que ele tem direitos, obrigações e limites, todos muito claros, pouco negociáveis e sempre com o significado de que estabelecer regras e limites não é uma maldade, mas sim uma contribuição para o crescimento e a maturidade da criança.

Assim, pense que ele não é, nem pode ser, o "eterno filhinho" que a "mamãe sempre quis cuidar, proteger e resolver todos os problemas".

Ele é um ser em desenvolvimento que tem que caminhar em direção à autonomia plena.

4
"O Pão Nosso de Cada Dia"

O terror dos pediatras e, mais ainda, de milhares de mães que se desesperam e, muitas vezes, chegam a chorar de preocupação pode ser resumido em uma frase simples: "Meu filho não quer comer!".

Esse fenômeno se repete através de gerações e não é muito difícil se ouvir avós dando conselhos a jovens mães sobre como devem fazer para seus filhinhos se alimentarem da melhor maneira possível. E, o que é pior, muitas vezes com conselhos, no mínimo, inadequados.

E aí surgem as mais diferentes sugestões: "Deixe que ele coma iogurte, sustenta igual!", ou então: "A vovó faz aviãozinho e ele come tudo, né?!", ou ainda: "Se você não comer, depois não joga videogame!", ou o pior de todos: "Ligue a televisão que ele come enquanto se distrai...".

Pior ainda é você pensar em seu filho como um projeto de pesquisa e, com isso, fazer levantamentos bibliográficos para poder saber quantas calorias ele deve comer, a que horas e de que maneira.

Pense bem a respeito. Criar um filho não pressupõe a leitura de inumeráveis livros técnicos para que ele cresça bem. Aliás, suas avós provavelmente nunca leram nada a respeito e você, apesar dos eventuais conflitos que todos têm, está aí firme, pensando em como criar bem seu próprio filho. Assim, relaxe.

A alimentação é, de fato, algo de fundamental importância para qualquer criança e esse fato não passa despercebido pelas

mães, que consideram um bebê "gordinho" sinônimo de um bebê saudável e, consequentemente, de uma mãe boa e "nutridora". Assim, não é por acaso que em todas as propagandas os bebês são gordinhos e, consequentemente, na imagem que passam, bem cuidados. E que mãe não quer o título de ser boa cuidadora e, em decorrência, boa mãe? Só que cuidado! Isso, na verdade, não é ser boa mãe.

Alimentar-se é mais do que simplesmente ingerir elementos nutrientes, por mais que a nossa tendência biologizante atual possa nos induzir a pensar dessa maneira.

Durante uma refeição, diferentes elementos entram no jogo que a constitui e o valor nutricional é somente um deles. Assim, ao pensarmos na alimentação de nossos filhos, temos que levar em consideração:

a) Fonte de nutrientes: alimentar-se significa que a família, em especial a mãe em nossa cultura, estabelece uma questão simples: qual é a oferta proteico-calórica que essa criança demanda?

Assim, não porque a moda atual é não ter filhos "gordinhos", mas temos que considerar que o controle da ingestão infantil é importante para o desenvolvimento saudável da criança e é a mãe que deve cuidar da dieta de seu filho.

É esse cuidado que permitirá que se evitem carências nutricionais e os riscos delas decorrentes, no que se refere tanto à desnutrição como à obesidade.

Pensando nesses aspectos, algumas considerações podem ser importantes para o conhecimento das mães, considerando-se as curvas nutricionais em vigor e uma fórmula simples que refere peso ideal como igual ao índice obtido entre o Índice de Massa Corporal (IMC) ideal multiplicado pela altura ao quadrado ($PI = IMC$ ideal $\times E^2$). Assim, práticas adequadas de alimentação infantil correspondem àquelas que fornecem a quantidade adequada de alimentos para suprir os requerimentos nutricionais e, ao mesmo tempo, são aquelas que não excedem as capacidades funcionais, digestivas e renais da criança.

Dessa maneira, carnes, leite e ovos correspondem a alimentos proteicos, ao passo que açúcares, farinhas, cereais, raízes e tubérculos são ricos em carboidratos e produtos de origem animal e óleos vegetais o são em gorduras. Essa composição alimentar pode, *grosso modo*, ser pensada conforme a tão falada pirâmide alimentar mostrada a seguir (**Figura 4.1**).

Deve ser lembrado, ainda, que no pré-escolar o ritmo de crescimento é regular, com velocidade de crescimento menor que nos dois primeiros anos e um maior ganho de altura em relação ao peso, o que dá, quando olhamos, a

Figura 4.1. Pirâmide alimentar.

impressão de magreza, fator de preocupação e mesmo desespero para uma boa parte das mães, que têm como queixa padrão o filho que não come (somente em sua cabeça). Assim, perceba se sua queixa é real ou imaginária.

Da mesma maneira, esse é um período em que a criança diversifica sentidos e sabores, passando a estabelecer suas próprias preferências com alimentação, muitas vezes imprevisível e variável, oscilando quanto à quantidade ingerida e ao aparecimento de caprichos alimentares, que são, na maior parte das vezes, transitórios e como tal devem ser encarados. Assim, alimentos novos são, muitas vezes, recusados com a negação em experimentar bem como a rejeição de grande parte dos alimentos. Essas condutas devem ser consideradas um fator de preocupação somente quando impedem uma dieta adequada.

Considerando-se esse desenvolvimento, algumas características devem ser levadas em conta pelos familiares quando do cuidado com a alimentação, a saber:

- Refeições e lanches devem ser oferecidos em horários fixos e em intervalos que permitam à criança sentir fome na próxima refeição. Assim, ela não come o que quer e quando quer, devendo esse intervalo (entre 2 e 3 horas) ser planejado pela família;

- O esquema alimentar deve ser composto por entre 5 e 6 refeições diárias, estabelecidas rotineiramente, dentro daqueles horários que atendem as demandas familiares, constando de café da manhã, lanche, almoço, lanche vespertino, jantar e, em algumas ocasiões, lanche antes de dormir;

- As refeições duram um tempo definido, suficiente para que se efetue, não podendo, por isso, durar indefinidamente. Assim, elas são encerradas quando esse tempo termina com a criança aguardando a próxima refeição para que se alimente novamente. Nenhum outro alimento então é oferecido para que ela substitua a alimentação perdida, mesmo com toda a culpa que a mãe possa sentir a respeito. Lembre que seu filho não morrerá de fome nem ficará desnutrido por isso;

- A quantidade oferecida deve ser concorde com aquilo que a criança habitualmente aceita. Não se fazem, assim, pratos excessivos ou extremamente exíguos. Caso ela demande, repete-se a porção após o final da primeira;

- Sobremesas fazem parte da refeição e não se constituem em recompensa, punição ou substituição da mesma;

- Os líquidos devem ser controlados, pois induzem a saciedade e diminuem a ingesta alimentar e as bebidas adocicadas (sucos, refrigerantes) devem ser fornecidas com parcimônia, pela quantidade de açúcar que apresentam;

- Gulodices (salgadinhos, balas e doces), embora não precisem ser proibidos (até porque sua proibição coloca a criança fora das regras e dos hábitos de seus pares, uma vez que é corriqueiro o consumo dos mesmos em ambientes sociais), também não devem fazer parte habitual da alimentação.

b) **Estímulos psicológicos (cor, sabor, textura):** conforme refere Le Breton,[a] embora a cozinha seja a arte de elaborar sabores agradáveis, o indivíduo raramente se satisfaz somente com sabores, uma vez que outros fatores fazem parte do processo, fatores esses que se estendem desde a apresentação do prato até seus odores e consistência. Assim, alimentar-se envolve

---

[a] Le Breton D. *Antropologia dos sentidos*. Petrópolis: Vozes, 2016.

modalidades sensoriais diversas como o gosto, o cheiro, a consistência (tato), a temperatura etc. Dessa maneira, sente-se o gosto acompanhado permanentemente do cheiro.

Tudo isso entra em jogo quando a criança se alimenta e assim, mais do que somente o aporte proteico-calórico, ela é estimulada durante todo o tempo da alimentação, percebendo se os alimentos são macios ou duros, viscosos ou crocantes, gordurosos ou granulosos, picantes ou ácidos, enfim, ela se enriquece pela variedade das preparações que suas refeições lhe permitem.

É essa atividade, aparentemente tão simples, que fará sua criança "entrar" na história, interagindo com a cultura de seus pais e seus avós e aprendendo algo milenar: reconhecer sabores e características daquilo que ingere, inclusive com todo o seu significado simbólico, significados esses que irão caracterizá-la cada vez mais como pessoa única (*De gustibus non est disputendum* – gosto não se discute).

Assim, mãe, a apresentação do alimento infantil é importante. Não basta colocar todos os nutrientes no liquidificador e batê-los. Isso é muito pouco.

c) Estímulos sociais: uma refeição, além de tudo aquilo que falamos até agora, é um estímulo social (inicialmente familiar e posteriormente social, em sentido amplo). Assim, se espera que a criança esteja acomodada, junto com os demais membros da família, interagindo com eles, uma vez que a aceitação da alimentação e o desenvolvimento de hábitos e de cultura alimentar são feitos não somente pela repetição à exposição mas, principalmente, pelo condicionamento social, uma vez que a família se constitui (ou deveria se constituir) em um modelo para o desenvolvimento de preferências e hábitos. Dessa maneira, é aprendendo a se alimentar em ambiente familiar que seu filho saberá se comportar adequadamente em ambientes sociais, ou você imagina que todas as pessoas acharão fantástico seu filho de 5 anos ficar correndo pelo restaurante, incomodando-as e derrubando as coisas?

Claro que não! Uma criança deve ser socializada e, para isso, é indispensável que ela aprenda em casa.

Isso implica, em primeiro lugar, que seu filho tem que aprender quando comer e isso é você quem estabelece desde muito cedo, com o horário das mamadas que, gradualmente, vai cedendo lugar ao horário das refeições. Com isso, além do aporte proteico calórico, seu filho aprende algo interessante: a esperar.

Se você não acha isso importante, lembre-se do Sidharta de Hermann Hesse, que diz: "Eu sei fazer três coisas na vida. Pensar, esperar e jejuar".[b] Acredita-se mesmo que aprender a esperar melhora a capacidade atencional e as probabilidades de pensar sobre o que se está fazendo. Assim, embora você não alimente seu filho para melhorar sua capacidade atencional, aprender a esperar, sabendo que não terá suas vontades imediatamente satisfeitas, é fundamental e pode se iniciar com a própria alimentação desde idade muito tenra.

Dessa maneira, pense que é importante que seu filho aprenda a "esperar", pois é isso que desenvolve o próprio autocontrole. Isso permite o desenvolvimento também do respeito às outras pessoas. Além disso, quando se aprende a esperar, se aprendem estratégias para distrair a própria atenção (contar carneirinhos, mexer a orelha ou qualquer outra coisa que as crianças fazem tranquilamente e que lhes serve para controlar a ansiedade decorrente da espera).

Alimentar-se é um bom momento para o estabelecimento de normas e regras que serão úteis no decorrer da vida, pois ninguém gosta (nem precisa tolerar) de crianças chatas, mimadas e mal-educadas.

Assim, um bom jeito de treinamento é aquele que permite que a criança compre o doce desejado, mas que pede que ela só o coma por ocasião do horário do lanche. Preservam-se a satisfação e a liberdade, embora se mantenha o enquadramento das regras e horários, bem como a quantidade da alimentação. Dessa maneira, a permissividade para seu filho ingerir vários Big Mac desaparece...do mesmo modo que desaparece o ter que se apressar o almoço porque "a criança não aguenta ficar esperando..." Durante sua vida ela terá que esperar por muitas coisas, muitas vezes, e o aprendizado e a tolerância da espera se iniciam assim.

Se você pensar a respeito, verá então que seu filho pode (e deve) permanecer sentado à mesa durante o período das refeições, sem outra atividade que não essa, que a oferta pode ser feita em etapas para que ele não escolha comer somente o que lhe agrada mais e que um prato precede o outro.

A isso podemos chamar processo civilizatório, que faz com que a criança se insira primeiramente no ambiente familiar e, em segundo lugar, no contexto social.

Lembre-se de a necessidade de gratificação imediata para todos os desejos tornaria a vida insuportável, uma vez que a vida não proporciona esse imediatismo.

---

[b] Hesse H. *Sidharta*. Rio de Janeiro: Record, 2008.

A alimentação auxilia ainda no desenvolvimento da autonomia, já que a criança deve ser encorajada a comer só, de modo adequado, substituindo-se a colher pelo garfo e, após, associando-se o uso da faca.

Paralelamente, se estimula a participação na escolha e na compra de alimentos e em sua preparação, de maneira a que ela aprenda a valorizá-los e que possa, gradualmente, desenvolver sua própria autonomia nessa escolha e preparação. Isso porque temos que pensar que, provavelmente, ela não terá, sempre, um exército de empregados dispostos a satisfazer suas menores vontades.

Da mesma maneira, pense que mesmo em lugares públicos existem regras e que seu filho deve aprender a respeitá-las, também, durante a alimentação.

Assim, não cabe levar ao restaurante no qual vai a família o sanduíche da lanchonete ao lado em função de o "pimpolho" não querer aquela comida que a família deseja.

A escolha do restaurante ou da comida é uma decisão familiar que todos respeitam (aliás, como devem ser todas as decisões familiares, pois um lar não é nem um restaurante *à la carte* nem um hotel...), mesmo aqueles que foram voto vencido, pois é esse respeito e essa coerência (sem a burla das regras ocasionada pelo sanduíche) que o farão, gradualmente, apto ao convívio com os demais.

Mais ainda, o horário de refeições é (ou deveria ser) um horário de convívio social durante o qual a família se reúne, conversa, se estabelecem regras de convivência e de tolerância e assim dificilmente ele pode conviver com televisores ligados (uma vez que cada um dos membros prestará atenção na tela e não naquele que está a seu lado), ou com *videogames* ou *smartphones*.

Curiosamente, lembrei-me de um pequeno bar em Barcelona que tinha em uma de suas paredes um pequeno quadro que dizia: "Não temos *wifi*. Aproveite e converse com quem está com você".

Dentre outras coisas, é disso que seu filho precisa.

Isso pode parecer ficção científica em nossa pós-modernidade, na qual pais e filhos sentam-se à mesa cada qual com um *smartphone* para conversar com qualquer outra pessoa possível (real ou virtual). Cabe, no entanto, pensar que ter filhos acarreta um ônus e uma parte desse ônus significa perder tempo com sua criação e seu cuidado (por mais que isso possa parecer tolo ou redundante). Assim, dar um *tablet* para que a criança se entretenha durante a refeição e "não atrapalhe" a conversa ou o jornal dos mais velhos não pode ser considerado um bom modo de cuidar delas nem de estimulá-las, psicológica ou socialmente.

Mais ridículo ainda é pensar em pais que se orgulham de conversar com seus filhos, mesmo em casa, por meio dos *smartphones*.

Isso porque os comportamentos e movimentos do rosto da criança são interpretados, reforçados, redirecionados pela mãe, que os acompanha e adota uma dessas características conforme o seu pertencimento cultural, o que leva a criança a entrar numa lógica gustativa própria de sua família, inscrita no interior de várias tradições culturalmente importantes, inclusive sob o ponto de vista afetivo.

Assim, passa a ser (ou deve passar a ser) muito mais importante o bolo de chocolate que a mãe fez para o aniversário da criança, ainda que ele não seja tão elaborado ou esteticamente perfeito quanto o comprado pronto para a festa no *Buffet* infantil. É à mesa que ela ouve comentários, vê comportamentos, cria nuances de preferências e tudo isso molda a sua sensibilidade alimentar, cultural e social em conjunto. Tudo isso acompanhará seu filho durante o resto de sua existência, enriquecendo-a ou empobrecendo-a. Depende de você essa condição.

É também interessante pensar que hábitos alimentares devem ser fatores de "inclusão" social e não de "exclusão". Assim, pense que, por mais que você seja um vegetariano convicto, obrigar seu filho pré-escolar a nunca comer brigadeiro nem tomar refrigerante significará excluí-lo das festas de aniversário da escola ou dos amigos do condomínio que, de maneira geral, não são obrigados a compartilhar das mesmas ideias que você tem sobre o mundo mas que, com certeza, o excluirão das próximas festas, uma vez que ele não se inclui nem participa dos mesmo hábitos e atividades (lembre-se que o homem é um ser gregário e que a sensação de pertencimento ao grupo é de fundamental importância no desenvolvimento de seu filho).

Assim, pense antes de transformar o seu filho num "chato".

Dessa maneira, quando pensamos que nosso filho precisa se alimentar, temos que aprender a pensar em muito mais do que simplesmente se ele come ou não, até porque uma criança "gosta" e "precisa" de atenção durante o seu horário das refeições. E isso talvez seja o mais importante e o mais difícil na nossa atualidade. Toda criança adora ocupar o centro das atenções de sua família e nenhum momento e local são mais adequados e oportunos que o horário das refeições. Assim, as cenas dramáticas, os desafios e os enfrentamentos (quem nunca ouviu algo do tipo "vou contar até três para você terminar o leite..."), os subornos (ou algo do tipo "se você comer tudo, depois a mamãe te leva para tomar sorvete"), as chantagens emocionais ("coma para fazer a mamãe feliz..." ou "por que você faz isso? Só para me deixar triste?"), enfim, toda uma gama de comportamentos inadequados da criança e alimentados pelos pais (em especial pela mãe) é visível e pode ser evitada meramente a partir de atitudes coerentes dos pais e da atenção dispensada à própria criança durante seus cuidados (alimentares incluídos), que fazem com que ela não necessite desses artifícios para que se sinta amada, valorizada e importante.

E lembre-se de que essa educação e esses hábitos são criados em casa, pois discussões em ambientes públicos, além de desagradáveis para os envolvidos e os assistentes, afetam profundamente a autoestima da criança.

Em caso de total falta de controle, sacrifique seu desejo, retire seu filho do local e, ao levá-lo para casa, mostre-lhe (sem raiva e o mais calmamente que puder) as consequências de seu ato, pois "quem não sabe se comportar em público, não pode ficar com as pessoas".

É, criar filhos é muito difícil e pressupõe, principalmente, vontade e bom senso.

5
Os Pequenos Cientistas

Quem nunca ouviu, após uma afirmação qualquer feita por um adulto, uma criança (independentemente da idade) fazer a pergunta clássica: Por quê?

Claro que, dependendo da idade da criança, essa questão terá um significado diferente, entretanto, os pais sempre ouvirão um por quê?

Em primeiro lugar, temos que pensar que a criança é um ser que está "construindo" um mundo, mais especificamente, o seu mundo. Isso quer dizer que, embora ela tenha nascido em um local e uma época que, por si sós, já lhe dão aspectos limitantes aos quais tem que se adaptar, ela também vai construir significados a partir das experiências e das informações que terá (não somente sob o aspecto de conhecimento formal, mas também sob o aspecto de conhecimento derivado das inter-relações sociais e carregado pelos afetos delas decorrentes). Assim, a criança parte de um mundo predominantemente biológico, que definirá algumas possibilidades e limitações, no mais das vezes imutáveis, para atingir um mundo social com regras e valores que, embora com certo grau de maleabilidade, não são totalmente flexíveis. Para a vida gregária, se exige um grau efetivo de participação, até que se chegue a um mundo pessoal (isso só a partir das operações formais ou pensamento simbólico, que se inicia na adolescência), composto por significados próprios e que pautará a construção do projeto de vida e das atitudes com caráter mais próprio e individual.

Não queira, portanto, que seu filho pequeno perceba e compreenda algumas das questões que para você parecem óbvias. Principalmente porque, para você, elas, na maioria das vezes, são óbvias só sob o ponto de vista intelectual, uma vez que na prática você age de maneira totalmente diferente.

Assim, na construção desse seu mundo, as crianças têm que ser curiosas para que adquiram informações (não somente acadêmicas, mas principalmente informações significativas que, uma vez interiorizadas, comporão novas e exclusivas informações) e é por isso que elas sempre perguntam. Cabe aos pais darem respostas não somente sob o aspecto verbal e formal, mas sobretudo a partir de suas condutas que, preferencialmente, devem ser coerentes com suas próprias atitudes (fato difícil, pois é muito mais fácil sermos politicamente corretos no discurso do que na vida real e cotidiana).

Muitas de suas questões, por isso, causam desconforto nos pais, que quase nunca sabem o que responder e, para garantia pessoal, buscam regras fechadas e livros de receitas para "não correrem o risco de errar" em algo tão importante como a educação de seus filhos. Com essa atitude, pragmática e simplista (para não dizer simplória), perdem algo que caracterizou (e muito) as gerações anteriores naquilo que dizia respeito ao bom senso e ao respeito aos valores da própria família e do ambiente envolvidos na criação dos filhos.

Não adianta nada você fazer um discurso de que as mulheres têm os mesmos direitos que os homens se você tem que chegar antes de seu marido em casa pois ele não admite chegar e você ainda estar no trabalho.

Da mesma maneira, não adianta você querer que seu filho a respeite se uma das coisas que ele escuta cotidianamente do pai é que você quase sempre erra e se não fosse por ele (pai) as coisas não andariam de maneira adequada e que, por isso, você tem que entender o ponto de vista dele e obedecê-lo.

O mínimo que se exige em uma família é coerência.

Assim, se sua casa é dessa maneira, decida: ou você muda a casa ou assume como ela funciona, pois você não conseguirá mudá-la através de seu filho, por mais sedutora que a ideia possa parecer, uma vez que o máximo que você conseguirá será um ambiente conflituoso, no qual a criança terá que se decidir e se comportar como fiel de uma balança extremamente disfuncional.

Essa coerência é, portanto, em relação ao que se pensa, sente e age. Isso traz um fato interessante.

Certa vez, grávida de alguns meses, uma jovem mãe ouve de seu filho pequeno a pergunta: "De onde vêm os bebês?". Após o choque do primeiro momento, ela inicia uma explicação, se não convincente, ao menos adequada sob o ponto de vista do não preconceito e da necessidade de a criança não ser enganada e ter acesso a informações corretas e não distorcidas.

O interessante dessa atitude é que ela, na maioria das vezes, cai num vazio enorme, com a criança não dando a menor importância para a explicação e extraindo dela somente aquilo que ela considera necessário e que a mãe não consegue quase nunca perceber ao ouvir a pergunta. Isso porque, na maior parte das vezes, ela fica perdida entre aquilo que a criança pergunta e aquilo que ela deve responder (muitas vezes de maneira contrária ao que ela própria acredita), mas que não pode questionar, uma vez que as "regras e normas" do educar adequadamente definem atitudes comprometidas com uma realidade específica.

Outra vez, uma jovem mãe, grávida de 4 ou 5 meses, ouviu de seu filho, com idade próxima dos 5 anos, a pergunta:

— Mamãe, onde está o nenê?

Preocupadíssima com o que deveria responder e perdida entre o medo de falsear a realidade para seu filho e criar eventuais dificuldades no relacionamento posterior da criança com o irmão ou mesmo de dificultar o estabelecimento da identidade de gênero em sua criança, ela se perdeu em uma complexa explicação sobre como a criança "tinha entrado" em seu abdome, como ela deveria sair, bem como quais os cuidados que deveriam ser tomados quando o bebê, tão pequenino, já estivesse fora de sua barriga.

Qual não foi sua surpresa quando ao final de toda a complexa explanação, dificultada pelo constrangimento da jovem mãe que nunca tinha pensado muito a respeito e, o que é muito pior, tinha a cabeça cheia de teorias complexas de traumas psíquicos e transtornos comportamentais decorrentes de más respostas de sua parte, ouviu do filho:

— O nenê está na sua barriga?

— Sim. Por quê?

— Me pegue no colo... Agora, abra a boca...

Satisfeita a vontade do pequerrucho, eis que ele resolve o núcleo central da sua dúvida:

— Ei, nenê! Tá tudo bem com você?

Na verdade, a dúvida era própria de uma criança de 4-5 anos que só queria saber a localização do nenê para que pudesse incorporá-lo à sua vida sem, no entanto, a menor preocupação com dificuldades ou questões operacionais e conceituais do tipo de onde os bebês vêm ou como vão entrar ou sair. Assim, a identificação do que a criança **realmente quer saber** é fundamental, uma vez que na maior parte das vezes respondemos àquilo que nós (adultos) achamos que ela quer saber. Compreender a criança é compreender a sua dúvida e a sua utilidade existencial.

Outra questão capaz de causar calafrios nos pais é quando, um pouco mais tarde, o filho(a) pergunta algo do tipo: Quais as diferenças entre meninas e meninos?

Pronto! Catástrofe à vista. Como responder sem correr o risco de parecer um machista (quer seja o pai ou a mãe que responda à questão) que não leva em consideração o direito das mulheres ou a liberdade da "escolha" da identidade de gênero da criança.

Cabem aqui algumas considerações.

O sexo de alguém é determinado geneticamente (a partir dos cromossomos X ou Y), porém a identidade de gênero vai se desenvolver ao longo da vida dessa criança e terá aspectos cognitivos envolvidos (lembre-se de quando ela pede para tomar banho junto com um dos pais ou quando vocês a veem "brincando de médico" com algum amiguinho), que fazem com que ela explore, por meio da brincadeira e do cotidiano, fatos que lhe fornecem informações sobre como ela é (comparada com o genitor observado) e, em consequência, como deverá ficar com o passar do tempo.

Além dos aspectos genéticos e cognitivos, entram em jogo ainda aspectos sociais que, desde antes do nascimento da criança, já se encontram presentes nas expectativas familiares ("eu quero que nosso primeiro filho seja menino"), na cor do quarto e das roupas ("como será menino, fizemos o enxoval todo azul...") e na

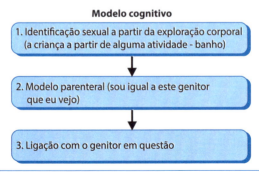

Figura 5.1. Modelo cognitivo de identidade sexual.

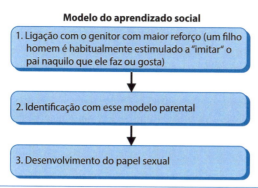

Figura 5.2. Papel sexual a partir de um modelo de aprendizado social.

recepção dada pelo grupo social ao qual pertence (uma bola é um presente quase indispensável para um menino que nasce, pois, na nossa cultura, é usual que se espere que um menino jogue futebol, do mesmo modo que é pouco provável, em nossa cultura, que o padrinho de batismo dê ao bebê recém-nascido um par de sapatilhas de ponta para ballet). A isso tudo, que vai ficando cada vez mais presente com o passar do tempo e que será responsável pelo estabelecimento do "papel" do indivíduo, podemos chamar, *grosso modo*, de identidade social.

Lembre-se de que expectativas não são, obrigatoriamente, conscientes nem justificáveis e, portanto, não podem ser julgadas sob as lentes do "politicamente correto".

Claro que se você é uma mãe bem-informada e "politicamente correta", já leu vários artigos e declarações de escolas que propõem que a criança se vista de maneira indiferenciada e até mesmo que se favoreça o uso de roupas e atitudes do sexo oposto.

Isso tudo deve ser visto com algum cuidado e de maneira não absoluta.

Em primeiro lugar, porque as confusões de identidade de gênero, embora possam ser frequentes na infância, não persistem, na maioria das vezes, durante a adolescência, sendo poucos os casos que demandam troca de identidade a partir da adolescência e estes se constituem em casos específicos e não são a maioria.

Em segundo lugar, porque condutas sexuais, em todos os grupamentos humanos, são condutas de importância social e regulamentadas pelos grupos em questão. Assim, uma coisa é a sua compreensão em perceber uma dificuldade de gênero na infância (que deve ser observada, posto que a maior parte delas não se perpetua), outra é você achar que só porque você quer as outras crianças vão achar lindo ver o seu filho de 8 anos chegar vestido de Branca de Neve na festinha da escola. Lembre-se de que, nesse momento, ele se encontra em fase de desenvolver a autoestima, de perceber e respeitar regras e de interagir cooperativamente com os outros. É tolice você pensar que irá fazer a revolução social a partir da educação de seu filho. Até porque nem mesmo sei se para você essas questões são tão simples ou se você também se obriga a ser "moderna" para não correr o risco de ser criticada. Lembre-se de que o mundo não é bom nem tolerante e que uma de suas funções primordiais é auxiliar seu filho a ser autônomo e feliz, por sua própria conta, sem achar que os grupos sociais irão colaborar maravilhosamente para isso.

Lembre-se também de que, até os 7 anos de idade aproximadamente, seu filho apresenta aquilo que chamamos de moral heterônoma, o que quer dizer que ele vai saber o que é certo e o que é errado por intermédio de você e de suas atitudes, ou seja, ninguém em sã consciência acredita-o com capacidade de decidir grandes coisas.

Mesmo após essa idade, sua avaliação, conforme já falamos no exemplo do Papai Noel, é limitada aos dados empíricos, sendo, portanto, bastante restrita. Isso é tão verdade que você jamais pensaria em seu filho de 9 anos votando para presidente da República ou respondendo penalmente por seus atos.

Assim, se você sabe disso, por que diz que ele deve decidir outras coisas tão importantes quanto identidade de gênero?

Pense que ser tolerante e compreensivo com as características que ele eventualmente apresente é muito diferente de considerá-lo capaz de avaliar as consequências de suas decisões. Esclarecê-lo e apoiá-lo não é igual a que ele decida, na maioria das vezes.

Eu não saberia também dizer como você teria que fazer para criar expectativas diferentes durante a gestação ou como controlar toda a sua rede familiar e de amigos para que essa situação se altere. Se você também, como eu, não sabe como fazer, não se desespere nem fique muito preocupada. Lembre-se de que as alterações de gênero são exceção e não regra e que, caso você tenha que lidar com isso, creio que o mais adequado será buscar a ajuda de um especialista. Enquanto isso, não tente a reforma do mundo a partir de seu filho. Ele não merece nem essa sobrecarga de responsabilidade nem esse sofrimento, embora isso não impeça você de ensiná-lo a não ser preconceituoso nem a discriminar qualquer pessoa, pois trata-se de duas coisas completamente diferentes.

Dentro dessas considerações, até mesmo ingênuas e simplistas, aparecem questões operacionais básicas tais como "Por que um menino urina em pé e uma menina urina sentada?". Ora, por razões óbvias e práticas, uma vez que a disposição dos genitais de ambos, por mais que não se queira considerar, é diferente e essas diferenças facilitam algumas coisas e dificultam outras. Não porque a sociedade assim o quis, mas porque a evolução da espécie possibilitou mecanismos de funcionamento diferentes.

Como você está vendo, as respostas que seu filho recebe não são (nem devem ser) ideológicas ou politicamente corretas. Assim, a maior parte delas não deve levar em consideração mudanças sociais ou padrões puramente valorativos e morais. Esses padrões serão dados e serão característicos de você e de sua família e não têm nada a ver com regras fundamentais para bem educar seu filho. Assim, imaginar que o "lobo mau" da história da Chapeuzinho Vermelho deve ser evitado, uma vez que traz "aspectos machistas e agressivos decorrentes do machismo entranhado há séculos em nossa cultura, pode ser algo que, por lhe agradar e fazer parte do seu cotidiano, pode ser passado para seu filho, porém, tem que ficar claro que isso corresponde a um valor e, como tal, não tem nenhuma base científica para o melhor desenvolvimento de seu filho. Você ensina o que quer, como quer, desde que seja coerente, pois é ridículo não falar do lobo mau e ensinar seu filho de que ele não precisa fazer nada em casa pois tem uma empregada que faz ou a "mamãe" fará tudo por ele. Afinal, são as mães (e não os pais) que criam os filhos, assim, o machismo das gerações é alimentado e incentivado por elas. São os valores de sua casa, de sua família e da sua cultura, aqueles que repercutem em você e fazem sentido para você, que devem ser estimulados e não as opiniões genéricas das escolas e dos especialistas. Isso porque cada criança e cada família são únicas e como tal devem ser consideradas.

Não se perca em considerações tolas tipo "o Dia das Mães é uma data apenas comercial e as crianças que não têm mãe sofrem".

Embora as duas alternativas sejam verdadeiras, elas fazem parte de nosso cotidiano e da própria vida e não pense que seu filho será o único privilegiado que "nunca" sofrerá, pois se frustrar e, consequentemente, sofrer fazem parte do existir humano e para que o desenvolvimento de seu filho seja saudável ele tem que aprender a lidar com as frustrações. Esse aprendizado cabe a você e a todo o processo educacional a que ele será submetido. Por isso não tenha medo. Até a sociedade acabar com o Dia das Mães e outras datas semelhantes, deixe seu filho (e você também) aproveitá-las.

Não se perca em considerações e discussões, na maior parte das vezes inúteis e estúpidas, como se ele vai usar fantasias do sexo oposto ou vai brincar com brinquedos do outro sexo. Deixe seu filho resolver. Escolher uma boneca não é um problema, mas ele terá que aprender a lidar com a surpresa dos outros meninos da escola. Por outro lado, forçá-lo a levar a roupa da Branca de Neve, além de uma violência para com ele (caso ele não goste ou não queira), é uma exposição desnecessária.

Dessa maneira, pense muito antes de fazer afirmações categóricas e compreenda sempre o objetivo da criança quando ela lhe pergunta ou demanda algo. Não a avalie como um adulto em miniatura nem pense que as dúvidas e dilemas existenciais que são seus encontram eco nela. Na maior parte das vezes as questões da criança são cotidianas, simples e concretas. Encare-as e responda-as como tal.

6
Um Universo de Hiperativos?

Há algum tempo desenvolveu-se uma ideia (com seus detratores e defensores) referente à hiperatividade e assim, embora se pensarmos a prevalência do quadro (ao redor de 5%), diremos que nossas crianças são subdiagnosticadas e, consequentemente, são subtratadas. Temos, no entanto, também que pensar que nunca, em momento algum da história, fomos tão condescendentes em considerar hiperativas crianças que talvez sejam única e exclusivamente crianças comuns.

Isso se dá porque ficou muito mais fácil o estabelecimento de diagnósticos simplistas e mal feitos tanto por parte dos médicos, que, ao disporem de pouco tempo para esses diagnósticos, se comprazem em utilizar escalas e *checklists* destinadas a diagnósticos

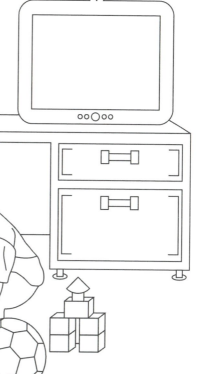

de rastreamento como se fossem para diagnósticos clínicos; das escolas que, para não terem que questionar seus modelos de ensino e objetivos a serem atingidos, preferem patologizar as crianças; e, finalmente, das mães, que, perdidas no que devem (ou não devem) fazer, consideram mais fácil e, até mesmo, mágica a solução a partir de pílulas maravilhosas que alteram o padrão de funcionamento infantil e, consequentemente, acenam (só na suas cabeças) com crianças adequadas e boazinhas.

Em primeiro lugar, pensar isso é não conhecer crianças, pois essas são, habitualmente e por suas características (dificuldades em controlar impulsos, ausência de imagens antecipatórias, baixo controle motor etc.), inquietas de maneira a aprenderem, gradualmente, a economizar movimentos. Assim, conheça o seu filho e saiba que quanto menor ele for, menos ele será capaz de parar quieto. E não adianta você explicar e acenar com todas as consequências advindas disso, pois ele não só não vai compreender os seus argumentos como não será capaz de gravá-los nem de medir as consequências de seus atos, na maioria das vezes.

Isso não significa que você não tenha que ensiná-lo a ter "boas maneiras", uma vez que, como ser gregário, se exige que ele não aborreça os demais que não têm a menor obrigação de aguentá-lo.

Para isso, você tem que perceber que seu filho é um ser inteligente e que, como tal, tem condições de pensar e compreender (obedecendo) aquilo que você explica, mas para explicar qualquer coisa você também precisa compreender o que está acontecendo, pois uma condição básica para se dar uma resposta é ouvirmos e compreendermos a pergunta.

Para que isso aconteça, você precisa de tempo e, para tanto, seu filho precisa esperar, o que vai também iniciar a lhe fornecer uma noção de temporalidade que o tira do imediatismo que a sua falta de controle de impulsos determina.

O chorar diante de uma necessidade não satisfeita imediatamente é exatamente isso e você atendê-lo de imediato é reforçar essa atitude, ensinando a ele que o mundo funciona dessa maneira, o que não é verdade. Uma atitude firme (e coerente) de negativa, com uma explicação específica, curta e compreensível, costuma resolver a questão desde que você, por culpa (e aí vai a importância de as perguntas a serem percebidas), cansaço, vergonha com relação aos outros (porque esses fenômenos acontecem muitas vezes em ambientes públicos e você tem medo de ser questionada como mãe) ou qualquer outro motivo, não acabe cedendo e mostrando a ele que, se insistir, ele conseguirá aquilo que ele deseja.

Nessas horas, só pense que o mundo não funcionará assim com ele e que as suas necessidades e desejos irão aumentando com o passar do tempo, o que lhe criará problemas importantes.

Assim, lembre-se de que o "comportar-se" é fruto de padrões educacionais e que se seu filho não para quieto no restaurante, correndo por todo lado, atrapalhando as demais mesas, fazendo birra se não lhe dão o que ele quer ou se não se vai embora quando ele assim o deseja, isso é sua responsabilidade. E não vale o meu argumento anterior de que ele não compreende explicações, pois qualquer mamífero, mesmo não entendendo as explicações conceituais que eventualmente eu poderia dar a respeito de comportamentos inadequados, não os apresenta se foi educado para tanto. Seu cachorro, por exemplo, em muitas ocasiões respeita você e lhe obedece mais do que seu filho. Assim, pense o que pode estar errado quando ele se comporta desse modo, pois, com toda certeza, ele é capaz de refletir melhor que seu cachorro.

Por outro lado, não caia no extremo oposto.

Impedir sempre a ação pode levar a um aumento desmesurado da energia infantil e da sua atividade quando as situações são mais fluidas ou escapam mais ao controle.

Por isso, uma criança criada dentro de um ambiente totalmente repressor, quando em situações públicas nas quais a repressão tende a ser atenuada pelas dificuldades sociais, pode abusar dessa pseudoliberdade para fazer atividades que habitualmente não lhe são acessíveis, e isso, com certeza, não é hiperatividade.

Ninguém está falando para você "tolher a liberdade" ou diminuir a "criatividade" de seu filho. Ele só precisa saber que pode fazer uma série de coisas (isso é liberdade) dentro de um ambiente e uma situação específica (esse é o enquadre social).

Assim, ele pode brincar com seus brinquedos do modo que quiser em seu quarto ou no ambiente de brincar, mas não pode espalhá-los pela sala nem deixá-los de qualquer modo, uma vez que a sala é um ambiente familiar e não dele e o brincar se efetua em determinado período de tempo e não está disponível a todas as horas.

Isso implica também que seu filho tem que aprender a estar só.

É curioso como as mães, sistematicamente, me perguntam, quando se aproxima o período de férias escolares, como elas farão para "distraírem" seus filhos.

Ora, teoricamente elas não deveriam fazer nada, pois a criança deve aprender a estar com ela própria, divertindo-se dos modos possíveis e imaginados.

Isso torna-se difícil quando a mãe, por qualquer dos motivos expressos acima, preenche todo o tempo infantil com atividades programadas, impedindo que ela crie alternativas para si mesma. Isso ocasiona uma demanda intensa e não acrescenta nada naquilo que consideramos um desenvolvimento saudável. Ao contrário, isso acarretará situações nas quais a mãe terá que estar sempre à disposição da criança, que a impedirá de qualquer diálogo com outro adulto ou de qualquer outra atividade, uma vez que foi ensinada a não ficar consigo mesma nem a criar estratégias que a entretenham ou a divirtam.

Para isso, tente deixar seu filho só.

Se ele está quieto, você não precisa aparecer para ofertar nada nem para "tentar distraí-lo". Deixe-o aprender a construir e a significar seu próprio tempo. Você não precisa estar junto. Controle a ansiedade, que é sua e não dele.

Devo lembrar que *tablets*, computadores e *smartphones*, embora sejam uma estratégia sedutora, se usados sistematicamente e por longo tempo, funcionam do mesmo modo alienante.

Assim, com isso fica claro que seu filho não pode fazer "qualquer coisa" ou, melhor dizendo, "o que ele quer". Isso é falta de limites, que se refletirá, futuramente, em dificuldades sociais e de adaptação no meio ambiente. Não perceber isso, na melhor das hipóteses, é displicência.

Dessa maneira, muitas vezes, em crianças pequenas aquilo que chamamos habitualmente de "não parar quieta" ou, em uma terminologia mais contemporânea, de hiperatividade, pode ser somente a atividade usual de uma criança de pré-operatório (entre 2 e 6 anos de idade), que pode ser minimizada quando se realizam atividades dirigidas que, prendendo sua atenção, podem auxiliá-las a controlar-se. Não se trata, porém, de mera magia e demanda interesse e atividade parental, que passam a ser os responsáveis por essas atividades e essa atenção.

Não propondo aqui que as mães sejam autoritárias, mas sim que exista um enquadramento familiar coerente, imutável e no qual seu filho deve ser criado para que, posteriormente, perceba como é viver com outras pessoas, sejam elas conhecidas ou não.

Isso se reflete em algumas coisas que nos parecem banais e, por isso mesmo, toleráveis.

Costumo dizer para alguns dos meninos que me são levados que existem palavras mágicas que devem ser aprendidas para que as pessoas os tratem melhor. São elas bom dia, com licença, por favor, desculpe-me.

Por mais tolo que possa parecer, palavras desse teor ensinam limites e enquadramentos sociais, fazendo, ao mesmo tempo, que quem as ouça se sinta mais bem tratado e, com isso, olhe de maneira mais favorável o interlocutor.

Com relação ao seu filho, elas darão a ele a percepção de que ele não é o centro do universo, que existem outras pessoas que devem ser tratadas da mesma maneira que ele gostaria que o tratassem. Ou seja, você não somente o está ensinando a ser simpático e educado, mas também auxiliando-o a desenvolver empatia e a se colocar no lugar do outro.

Da mesma maneira, costumo perguntar a algumas crianças e adolescentes, quando se queixam de algo que queriam e não lhes foi dado, quanto pagariam pelo que querem, não somente em dinheiro, porque não o têm, mas em vida. Quanto dedicariam, de tempo, a uma atividade, com o intuito de conseguirem o que querem? Quanto se dispõem a arcar com as consequências de um determinado ato (por exemplo, serem reprovados por não fazerem as tarefas)?

Faço isso porque crescer (e estamos falando de seres em crescimento e desenvolvimento) significa saber que desejos têm custo, na maioria das vezes expressos por sacrifícios e não por dinheiro.

Como se pode ver, é a partir das pequenas coisas que estruturamos os passos para que nossos filhos cresçam bem e, para isso, eles têm que entender desde muito cedo que não estão sozinhos no mundo e que este não foi feito para lhes satisfazer e, muito menos, para lhes obedecer. Eles têm que aprender a controlar seus próprios desejos para que não fiquem escravos deles.

Ouço frequentemente que a criança argumenta muito bem e por isso é difícil fazê-la aceitar os limites que lhe são dados.

Esse argumento é interessante, pois o fato de que ela argumenta bem não significa que o peso desses argumentos seja similar ao peso dos argumentos parentais, posto que a família, conforme já falei antes, é hierárquica e, portanto, embora devendo ser considerados, o peso dos argumentos da criança é menor do que o da argumentação de seus pais. Isso deve ser claro e indiscutível, uma vez que tal fato se repetirá em outros ambientes como a escola ou, mais tarde, na própria vida social e profissional, quando ele terá que perceber seus próprios limites e impotência diante de inúmeros fatos que a vida apresenta e não saberá lidar com eles nem enfrentá-los.

Se você lhe ensinar isso estará lhe fornecendo um ambiente de segurança dentro do qual ele tem a liberdade de crescer.

Outra questão interessante, ligada muitas vezes ao que vulgarmente chamamos de hiperatividade (e digo vulgarmente, uma vez que o Transtorno de Déficit de Atenção e Hiperatividade – TDAH é uma entidade clínica muito bem definida, que deve ser diagnosticada e cuidada por especialistas e não por curiosos ou comadres), é a dificuldade de aprendizado. Assim, se observarmos as duas queixas que chegam ao psiquiatra de crianças com maior frequência são ligadas exatamente a essas duas questões "a criança é agitada e não para quieta" ou "a criança não aprende". Na verdade, a primeira coisa a se pensar é se essas queixas, naquela criança específica, são queixas reais ou somente mostram a não correspondência àquilo que os familiares querem dela.

Voltamos então ao primeiro capítulo, quando falamos que as crianças são o que são e o que podem ser e não, obrigatoriamente, aquilo que queremos, até porque o que queremos nem sempre é o que é melhor para elas. Assim, ainda que possível, é preciso se perguntar quanto à validade de forçar o desenvolvimento de determinadas habilidades (ler precocemente ou aprender um segundo idioma, por exemplo). Na maioria das vezes, essa demanda tem mais a ver com as expectativas parentais do que com benefícios reais para a criança, o que nem sempre é desejável. Temos a falsa ideia de que se superestimularmos nossos filhos eles serão mais geniais do que já acreditamos que sejam. A questão que nos cabe, porém é para que queremos filhos geniais, a não ser para satisfação da própria vaidade?

Ninguém vai ganhar um prêmio por filhos geniais, embora, quando se observam as conversas entre as mães na porta das escolas, se evidencia o alto índice de competição existente entre elas, que narram, durante todo o período em que estão juntas, as habilidades (ou pseudo-habilidades) de seus filhos e o sem-número de atividades a que se submetem, sem se esquecerem, obviamente, do sacrifício que fazem, como "mãetoristas", para levá-los a todos esses compromissos, na maior parte das vezes sem necessidade.

Vamos então pensar essa questão do aprendizado.

Quando refletimos sobre essa queixa temos que nos ater, em primeiro lugar, à criança e a sua possibilidade de aprender.

Para isso, a mãe precisa avaliar cuidadosamente as capacidades físicas, cognitivas, sensoriais e psíquicas de seu filho, com o intuito de saber como está aquilo que designamos de equipamento neuropsicológico. Essa avaliação tem que ser feita por especialistas bem formados (usualmente neuropediatras, psiquiatras da infância e neuropsicólogos), de maneira a que se possa ter uma real ideia das possibilidades (potencialidades e dificuldades daquela criança) e, com isso, se executar um projeto terapêutico adequado.

Entretanto, ao considerarmos esses aspectos, estamos trabalhando visando detectar alterações específicas que denominamos dislexia.

Dislexia é a dificuldade na aquisição da leitura na idade habitual (e aqui cabe lembrar que a idade habitual não é aquela que os pais ou as escolas determinam, sendo considerado padrão que se espere até por volta dos 7 anos e meio para se considerar a dificuldade), em ausência de retardo mental ou de deficiência sensorial. Se a ela se associam dificuldades de ortografia a denominamos dislexia-disortografia.

Sua incidência varia entre 5 e 15%, inclusive porque muitas dessas crianças são subdiagnosticadas, sendo consideradas na escola e no próprio ambiente familiar como desinteressadas ou mesmo preguiçosas.

A dislexia corresponde a um quadro que se caracteriza por confusão de grafemas cuja correspondência fonética é grande (p. ex.: a – na; x – ch) ou cuja forma é similar (p – q; d – b), inversões (or – ro, cri – cir), por omissões (bar – ba; árvore – arve) ou ainda por adições ou substituições de grafemas. No nível frasal, observamos dificuldades no ritmo, com a compreensão podendo ser superior ao que se pressuporia, muitas vezes com a criança apreendendo toda a mensagem que lê.

De novo, reforçamos que não se pode falar no quadro antes da idade de 7 a 7,5 anos, uma vez que antes disso as dificuldades são normais.[a]

Por outro lado, consideramos que ocorre a disortografia quando se observam erros frequentes no início da aprendizagem, erros similares aos observados na leitura. Veem-se assim confusão, inversão, omissão, dificuldades na transcrição dos homófonos, confusão de gênero e número e outros erros sintáticos grosseiros.

Algumas vezes esses fenômenos ocorrem concomitantemente a retardo de linguagem, às vezes inaparente e com frequentes dificuldades de compreensão. Podem se observar ainda dificuldades de lateralização, com sinistrismo e má lateralização tanto visual como auditiva. A frequência de sinistrismo e de déficits de lateralidade nessa população é alta, ao redor de 30 a 50%.

Podem se observar ainda alterações de organização temporoespacial assim como confusão entre letras de formas idênticas mas invertidas (p – q), dificul-

---

[a] Marcelli D, Cohen D. *Infância e psicopatologia*. Porto Alegre: Artmed, 2010.

dades quanto ao ritmo espontâneo da frase (pela alteração espaço-temporal) e dificuldades na reprodução de estruturas rítmicas.

Mais rara que a dislexia, a **discalculia** pode ser conceituada como uma falha no aprendizado dos primeiros elementos do cálculo, com a criança apresentando dificuldades em realizar operações elementares. Parece ser frequente a associação entre uma discalculia e uma disgnosia digital (dificuldade motora de reconhecimento dos dedos, o que torna difícil contar usando os dedos) e uma apraxia construtiva (dificuldade em construir movimentos). As dificuldades em todas as ordens de cálculo (ordinal, cardinal, operatividade matemática), com defasagem quando a criança é submetida às provas cognitivas, entre os testes verbais (melhores) e os de desempenho (ou de execução), são bastante frequentes.

Todas essas características levam ao diagnóstico de um quadro de **transtorno específico de aprendizado**, diagnosticado por profissionais competentes e não pela escola e muito menos pelos próprios pais ou conhecidos.

Falamos isso porque temos presenciado um sem-número de casos nos quais crianças de 5 anos, com dificuldades de alfabetização em português e alemão (ou inglês, ou qualquer outra coisa...) nos são encaminhadas não com suspeita, mas com diagnóstico de transtornos de aprendizado feito pelas escolas, que (pasme!!!) já pediram inclusive exames complementares, como processamento auditivo central, sem levar em conta a idade ou o momento de desenvolvimento da criança.

Após uma avaliação adequada, essas crianças não mostraram qualquer problema de aprendizado, ficando o dito déficit por conta da desconsideração de sua idade, de seu ritmo de aprendizado, do fato de a família não ser bilíngue e, portanto, a obrigatoriedade da alfabetização em ambas as línguas ser atópica e anacrônica e, principalmente, por ser o nível de exigência da escola e da própria família (por questões de dinâmica da mesma) maior do que o possível. Isso é a mais exata desconsideração da criança naquilo que se refere às suas potencialidades e possibilidades.

Lembre-se, portanto, de que o céu não é o limite e que seu filho não precisa, obrigatoriamente, vir a ser o CEO de uma multinacional.

Em idade precoce, a escola deveria ter como função principal fornecer o espaço necessário para que a criança cresça e se desenvolva. Não é para "ativar redes neurais" ou "janelas de desenvolvimento" e com isso criar gênios.

A criança deve se divertir e, com isso, acordar e descobrir, gradualmente, o próprio mundo. Como disse Piaget, "a criança é o seu próprio epistemologista",[b] pois a partir da exploração do ambiente ela cria seu próprio mundo.

Também Vénguer[c] refere que aos pais surge sempre a questão de que tipo de tarefas ou atividades devem ser dadas à criança. Como escolhê-las?

A resposta depende daquilo que os pais desejam. Se lhes interessa o desenvolvimento da imaginação, são indicadas atividades nas quais se estabelecem papéis criativos. Por outro lado, se lhes interessa um desenvolvimento perceptivo, são mais interessantes atividades gráficas, de modelagem ou de construção. Entretanto, ele frisa que jogos didáticos não são indicados sempre (e aqui vai novamente um contra-argumento para as mães "políticamente corretas", que só querem brinquedos educativos), pois embora sejam direções importantes na educação elas devem ser combinadas com formas livres de atividade, para que o desenvolvimento da criança não seja desarmônico.

E aqui uma outra questão torna-se fundamental: O que temos como objetivo nessa educação? Criar um adulto culto e refinado o bastante para que possa aproveitar aquilo que a vida lhe oferece em cada momento ou um técnico em finanças que saiba analisar muito bem o balanço de uma multinacional (não que uma coisa exclua a outra, mas a segunda é bem posterior à primeira, que se desenvolve com a própria personalidade, enquanto a habilidade técnica é meramente uma questão de treino dessa habilidade).

Paralelamente, a questão do aprendizado passa por outra questão, que é aquela referente ao desejo de aprender.

Esse desejo tem uma origem individual, a partir do qual se observam o desejo e o prazer de aprender, ambos com uma origem familiar que, a partir do estímulo parental, faz com que a criança se interesse pelo conhecimento. Tem também uma origem social, que, a partir dessa valorização do conhecimento, reforça positivamente o aprendizado. Fica, entretanto, difícil que a criança manifeste interesse pelo aprendizado quando este não é observado em ambos os ambientes.

Não existem esquemas específicos para seu desenvolvimento, mas a liberdade de estar só, que já mencionamos, a possibilidade de espaço existencial para que a criança descubra e construa seu próprio mundo, a possibilidade de criar a partir do que ela demanda e não de material e atividades estruturadas e organizadas

---

[b] Piaget J, Inhelder B. *A psicologia da criança*. São Paulo: Difel, 1974.
[c] L.Vénguer A. *El hogar: una esculela de pensamiento*. Moscou: Progresso, 1988.

(falamos aqui de um brincar criativo), tudo isso será a base do desenvolvimento da curiosidade e da motivação em aprender.

Não esqueça que isso significa incluir essa criança na vida normal da própria família, convivendo com os acontecimentos (inclusive aqueles mais desagradáveis e dolorosos, como a morte de um familiar), para que se possa esclarecer a respeito, dentro de suas possibilidades e aprender a conviver com eles, criando as estratégias cognitivas necessárias para tal.

Exatamente por essa razão, quando os pais se queixam do desinteresse de seus filhos pela leitura, argumentando que fornecem todos os livros que eles desejam, é que costumo perguntar:

— E o(a) senhor(a), o que leu neste último mês?

— A *Veja*! Leio-a semanalmente.

— Perfeito! Então os senhores leram igual. O senhor leu a *Veja* e ele, a *Mônica*. Ou seja, nenhum dos dois valorizou, em nada, o aprendizado e a leitura.

Essa questão é importante pela mesma razão pela qual dissemos até agora que a criança aprende pelo exemplo muito mais do que pelo discurso. Essa é a mesma razão que justifica que a criança passe a maior parte de seu tempo com videogames do que com livros ou atividades sociais uma vez que os pais passam também grande parte de seu tempo com os *smartphones* ou nas redes sociais. Os exemplos e as atividades são similares e, portanto, torna-se incoerente o questionamento com relação à criança, posto que ela se espelha em seus pais.

Essa motivação pelo aprender deve evoluir com a idade, passando de uma motivação exterior ("estudo porque meus pais querem e acham bom") para uma motivação Interior ("estudo porque me agrada aprender") e isso também é reflexo dessa atividade dos pais.

Por outro lado, em uma sociedade como a nossa, que valoriza aparências e consumo, pequeno é o valor dado ao conhecimento, principalmente quando ele não se reverte em poder ou dinheiro. Esses são valores que a família e a sociedade, em seu cotidiano, podem ou não valorizar e que se refletem na criança de maneira prática.

Certa vez, conversando com um adolescente que dizia, claramente, que não achava que estudar fizesse nenhuma diferença em sua vida, ele me dizia:

— Acho que se eu parar de estudar não muda nada em minha vida.

— Mas se não estudar o que você pode fazer? (Em um questionamento óbvio e, por que não dizer, até um pouco tolo.)

— Ora, posso ser qualquer coisa.

— Como qualquer coisa?

— Claro! Até presidente.

Quando as próprias instituições desvalorizam e denigrem o conhecimento, torna-se muito difícil explicar a crianças ou adolescentes o porquê de uma atividade tão desgastante e trabalhosa como estudar.

Dessa maneira, como destacamos, a família tem um papel importante nessa conduta da criança com a dinâmica familiar, facilitando ou dificultando seu afastamento do processo de aprendizado, com uma influência marcada do nível sociocultural, que quanto mais próximo for daquele dos professores, mais facilitador, inclusive com o desenvolvimento de linguagem similar e menor padrão de trocas linguísticas. Tudo isso além da motivação familiar, que, a partir de um hipo ou hiperinvestimento, facilita ou dificulta o desempenho no aprendizado.

Finalmente, a escola se constitui no outro ambiente (além da família) de fundamental importância no desenvolvimento dos padrões de aprendizado, de conduta e de valores, sem que com isso a consideremos substituta do ambiente familiar que, a nosso ver, é primordial e indispensável, não se devendo, por isso, delegar à escola a responsabilidade pela educação das crianças. Ela deve, isso sim, ser a responsável pelo desenvolvimento acadêmico, porém o papel de educar e cuidar das crianças é exclusivo e característico da família.

Infelizmente, por questões mercadológicas, políticas e ideológicas, nossa escola não pode ser considerada um ambiente adequado, posto que, na maioria das vezes não respeita os ritmos próprios da criança, exigindo que ela apresente um desempenho que supra as expectativas da própria escola e dos pais enquanto um "investimento" que deve proporcionar retorno econômico e social em um futuro próximo. Assim, é frequente observarmos em "guias" de escolas objetivos do tipo "nossa escola visa proporcionar a inserção de nossos alunos em um mundo globalizado no qual ele deve ser capaz de atender às demandas de multinacionais".

Interessante que, ao questionar, certa vez, uma orientadora educacional de uma escola de alto nível, ela argumentava que era isso que deveria ser feito e quando falei que, com isso, ela simplesmente definia que não queria alunos que viessem a ser filósofos ou historiadores e sim somente executivos de multinacionais, ela contra-argumentou que era o desejo dos pais e quando lhe perguntei se escolas deveriam funcionar como supermercados, vendendo o que os pais queriam e não aquilo em que acreditavam, a resposta foi de que era uma questão de mercado.

Triste uma escola, e o que é pior, um país que trata a educação de suas crianças como uma questão de mercado. Por isso, se ninguém se preocupa, você, como mãe, tem que pensar cuidadosamente a respeito.

A escola permite a liberdade, mas fornece o enquadramento mais amplo que dá condições à estruturação do psiquismo infantil a partir de suas possibilidades e limitações. Ela facilita a que aprendam a fazer as coisas sozinhas e, principalmente, também a estar sozinha. Ela dá a possibilidade da experimentação dos sentidos e da própria liberdade (com todos os seus limites), propicia a organização para que, com o crescimento, a criança aprenda, gradualmente, a se organizar também em sua própria vida. Assim, a escola propõe possibilidades.

Enfim, obedecendo ao escopo deste trabalho, não é assim que me parece que criaremos crianças saudáveis, pois as pessoas não foram "construídas" para a satisfação do mercado. Talvez o contrário é que deva ser privilegiado. **Pense nisso!**

Entretanto, exatamente por essas questões de mercado, observamos um grande número de crianças por classe, o que diminui a possibilidade de maior atenção por parte dos professores, que, pelo pouco estímulo profissional, também evoluem pouco e pouco conhecem das próprias crianças e de seu desenvolvimento. Dessa maneira, a escola torna-se cada vez mais técnica e burocrática, com uma progressão inadequada e um professor que tem a sua competência, conhecimento e autoridade cada vez mais questionados. Ora, isso é tudo menos o fornecimento de enquadres, segurança ou coerência.

Assim, dentro desse panorama no qual observamos ou crianças com reais dificuldades no aprendizado ou escolas pouco motivadoras e inadequadas, bem como famílias incoerentes, uma das consequências esperadas é o desinteresse pelo aprendizado, com a consequente inadaptação social, a baixa autoestima e as alterações de conduta caracterizadas, principalmente, pela inquietação e agitação.

Você Não Quer Isso para Seu Filho, Quer?!

Crianças agitadas são descritas desde o século XIX, com Hoffman (1845) descrevendo uma conduta infantil desse tipo, em um livro de contos (*Zappel-Philips*) e Still em 1902 referindo a existência de crianças com temperamento violento, altamente revoltadas, perversas, destruidoras, com ausência de respostas aos castigos, frequentemente inquietas e molestas, com movimentos quase coreiformes, incapacidade de manter a atenção e déficit escolar. Já nessa época tentou-se associar esse quadro a fatores genéticos e ambientais, qualificando-o como um problema médico (portanto, a ideia de TDAH não é nem recente nem invenção dos laboratórios, nem nenhuma dessas bobagens politicamente corretas. Ela só é a descrição de um quadro que deve ser diagnosticado cuidadosamente e não em baciadas, como vem sendo feito pelas escolas e por vários profissionais).

O TDAH é descrito como um transtorno no qual se observam padrões persistentes de desatenção, hiperatividade e impulsividade, mais frequentes e graves que aqueles observados em indivíduos com nível de desenvolvimento similar, estando presentes em pelo menos dois ambientes diferentes. Portanto, crianças "boazinhas" na escola e "inquietas só em casa" não merecem esse diagnóstico.

A idade mais frequente de ocorrência é a partir dos 6 a 7 anos, correspondendo ao início da escolaridade e a criança deve, obrigatoriamente, ser tratada, sob o risco de vir a apresentar problemas de escolaridade (de 30 a 50 %), problemas com a Lei (de 20 a 30%), além de ser quatro vezes maior o risco de acidentes automobilísticos entre adolescentes e adultos jovens com TDAH.

Entretanto, pensando em uma criança normal ou apresentando algumas das dificuldades que citamos, algumas medidas são interessantes, uma vez que reforçamos a ideia de que filhos demandam trabalho e não são medidas mágicas (sejam elas representadas por pílulas fantásticas, escolas maravilhosas ou terapeutas incríveis) **que possibilitam que nossas crianças sejam saudáveis.**

Assim, uma das primeiras coisas a serem feitas, considerando-se eventuais dificuldades escolares (e não transtornos de aprendizado) e de comportamento (e não transtornos psiquiátricos específicos), é organizar o ambiente escolar, que, preferencialmente, trabalhará com poucos alunos, utilizará mesas para trabalho pessoal, evitando múltiplos alunos em volta de uma mesma mesa, permitirá ao professor se deslocar por toda a classe, assistindo assim todos os alunos, instalando os alunos-alvo mais próximos dele e longe das janelas ou corredores para evitar estímulos sonoros e visuais que alterem sua atenção ou desencadeiem condutas inadequadas. Similarmente, os estímulos visuais podem ser limitados com as mesmas finalidades e a distribuição dos alunos pode ser realizada pareando-os de maneira que os alunos-alvo fiquem mais próximos de crianças mais tranquilas e com menores dificuldades, evitando-se, contudo, comparações e críticas que diminuem a autoestima. **Veja se a escola de seu filho faz isso.**

Em classe, as atividades devem também ser organizadas, com programas e rotinas bem estabelecidos, valorizando-se a ordem de material e podendo-se dispensar alguns minutos, no início das aulas, para que os alunos arrumem seu material, recompensando os mais arrumados bem como os melhores trabalhos feitos em classe e feitos em casa. Deve se lembrar em utilizar índices auditivos e visuais antes de se mudar de exercício, bem como, para algumas crianças, fragmentar os exercícios muito longos ou muito cansativos e demorados, determinando-se os momentos nos quais a criança é autorizada a sair da classe e quando não o é.

Finalmente, essa organização de lições e deveres deve ser estabelecida também em casa, com a delimitação do tempo dedicado aos deveres, ainda que segmentado, intervalando com tempo dedicado a atividades prazerosas, sempre controlado pelo adulto responsável (mãe). As lições devem ser feitas em lugares tranquilos, com limitado número de estímulos e distratores (irmãos fazendo lições conjuntamente, ainda que facilitando para as mães, são fonte de dificuldades, disputas e problemas. Da mesma maneira, é impossível imaginar lições realizadas conjuntamente com TV, rádio etc.).

Para crianças menores, é fundamental que se planifique a ordem na qual será feita a tarefa, bem como que se controle sua progressão, encorajando-a e ajudando-a. Podem-se autorizar pausas, com duração combinada, para manutenção da atenção, retornando logo após seu término. Não pense, portanto, que seu filho de 5-6 anos conseguirá, de início, organizar suas tarefas de casa sozinho e sem auxílio. Assim, sua ajuda é fundamental.

Ah! E mais que isso! Conforme já dissemos, a escola tem que ser compatível com a educação doméstica. Portanto, a menos que ela corresponda a seu padrão e raízes culturais, você estará criando para a criança uma situação incoerente, na qual ela se verá perdida entre valores muitas vezes opostos e antagônicos.

Quando falamos de hiperatividade realmente temos que considerar que ela não é resultado de modo de educação falho, porém falhas educacionais frequentemente mimetizam os diagnósticos de hiperatividade. Ambas, porém podem ser agravadas por atitudes educativas inadaptadas, embora condições educativas habituais às vezes sejam inadaptadas para uma criança que, realmente, apresenta TDAH.

Finalmente, cabe lembrar que crianças são seres em desenvolvimento, não são obrigadas a suprir as demandas e necessidades dos adultos que as cercam e dependem fundamentalmente de seu cuidado e de sua atenção, inclusive para que se desenvolvam a contento e não apresentem atitudes que as prejudiquem ou dificultem seu desenvolvimento.

7
"Mãe É uma Só... Duas Ninguém Aguenta..."

Que a pessoa da mãe, de sangue ou adotiva, é indispensável isso ninguém discute, uma vez que para as espécies mamíferas ela tem um papel fundamental tanto na gestação como no momento do parto e, principalmente, durante o desenvolvimento do filhote, o que, na espécie humana, assume proporções imensas. Digo isso porque costumo brincar que, para a mãe humana, ter um filho significa, muitas vezes, tê-lo nove meses em sua barriga, dois anos em seu colo e mais de trinta nas costas, uma vez que a dependência dele e a necessidade de cuidados se tornam cada vez maiores. Assim, a atuação da mãe é fundamental e ela é insubstituível.

Vamos pensar, entretanto, as razões dessa ligação tão intensa e o que fazer para que ela, de algo fundamental e muito bom, não se transforme em algo pesado e impeditivo para a independência e a autonomia.

O desenvolvimento do apego da criança para com sua mãe é fundamental para o seu desenvolvimento, desde a mais tenra infância até a sua idade adulta, mas, se pensarmos nos primeiros 12 meses de sua evolução, poderemos observar que é a interatividade da relação mãe-criança,

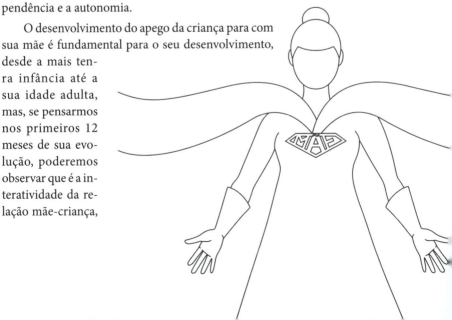

naquilo que se refere à sua qualidade e especificidade de suas condutas, que será a maior responsável por essas condutas de apego, e exatamente por isso é que essa conduta se relaciona com o desenvolvimento afetivo e cognitivo do bebê, que, ao expressar suas condutas e vocalizações, as tem reguladas pela mãe.

Assim, o que chamamos de apego é fundamental para a sobrevivência e o equilíbrio desse novo indivíduo, existindo, acredita-se, desde o nascimento, uma predisposição biológica, inata. Poderíamos dizer que equivale a um sistema operacional básico, que o faz comportar-se de modo a promover a aproximação e o contato com a figura materna e são as respostas da mãe que propiciarão uma dinâmica recíproca entre ambos, principalmente durante o primeiro ano de vida, quando, a partir de então, pelo seu desenvolvimento neurológico, o bebê já será mais capaz de corresponder de maneira organizada aos estímulos do ambiente social.

Com essas considerações, ao falarmos de apego nos referimos a um relacionamento afetivo persistente através do tempo e que envolve uma pessoa específica, emocionalmente significativa, com a criança tendo a vontade de manter a proximidade com essa figura e que, quando separada dela, pode se produzir um estresse significativo. Ah! Cabe lembrar que essa pessoa não é intercambiável, proporcionando estabilidade no relacionamento, ou seja, você, mãe, é essa pessoa.

Fica aqui interessante quando pensamos em algumas crianças que nos chegam para consulta e cuja mãe nos sugere conversar com a babá, que conhece melhor a criança e com quem mantém relacionamentos mais significativos. Talvez estejamos iniciando um novo experimento para a espécie quando terceirizamos a criação de nossos filhotes. Nossa geração não verá os resultados, posto que mecanismos evolutivos não podem ser contados através de tempo histórico ou social, mas, com certeza, devemos estar interferindo de maneira significativa no desenvolvimento da própria espécie.

Essas questões podem ser observadas bilateralmente, pois já ao nascimento, quando o bebê sai do corpo da mãe, teoricamente, de maneira puramente biológica (e, por que não dizer, animal), ela procura constatar sua presença através de seu corpo, seu tamanho, peso, textura e atividade.

Sua segunda preocupação é ligada a sua integridade física e saúde, quer vê-lo, saber se está bem, como se comporta e isso, quase de maneira mecânica, deflagra o processo de apego, ainda que a mãe o faça inconscientemente.

Em seguida, a mãe inicia um processo de identificação com a própria família, buscando as características dela própria e do pai e nesse momento, ainda tão precoce, a influência da família extensa se faz presente. Esse é o momento em que a mãe quer ver com quem seu bebê se parece.

Finalmente ocorre o primeiro contato entre ambos e a mãe percebe que é reconhecida por seu bebê, o que implica que ele a olha por maior tempo que aos demais, estabelecendo assim um tipo específico de comunicação que a constitui como mãe, uma vez que, do mesmo modo que ele reage às suas expressões faciais e vocalizações, ela também o faz diante das expressões faciais e vocalizações da criança. Organizam-se assim ambos em seus novos papéis, de filho e de mãe, inter-relacionados. Por isso reforçamos que o contato da mãe com seu bebê é de fundamental importância.

Claro que não estamos falando de um sistema estático, mas sim dinâmico, passível de mudanças que permitem o surgimento e a incorporação de condutas adaptativas, influenciadas por uma série de variáveis ambientais que alteram o olhar de ambos, bem como as expressões vocais e faciais de cada um. Não podemos esquecer das condutas táteis, representadas pelo toque e que caracterizarão, de maneira significativa, as condutas afetivas. Tudo isso influenciará o apego, uma vez que a própria orientação espacial ficará relacionada à presença da mãe, através de seu rosto, o que faz com que condutas conflitivas ou paradoxais possam influenciar no padrão de relacionamento. Isso nos leva a dizer que quanto mais as trocas afetivas entre mãe e filho se processarem e entrarem em sintonia, mais elas servirão de regulação e para a adaptação de condutas, cada vez mais complexas. Quando a mãe não consegue ou não sabe perceber e regular os estados e as necessidades afetivas dessa criança, o desenvolvimento afetivo também tem maiores dificuldades em se estabelecer. Vai daí o nosso questionamento na terceirização da maternidade. Não estamos com isso questionando mães que trabalham ou que têm vida profissional ativa. Lembramos apenas que, independentemente da quantidade, uma relação se faz pela qualidade dos vínculos e que a criança os demanda, não importando o cansaço da mãe, que, ao menos quando presente, deve ser mãe, fornecendo à sua criança aquilo de que ela precisa enquanto necessidade da própria espécie.

Durante o primeiro ano de vida, portanto, a mãe tem um papel importante e ativo na formação desse vínculo com o filho, por meio das condutas que permitirão a previsão de suas condutas em diferentes situações. Isso dará à criança a confiança necessária para explorar o ambiente que a rodeia e para se sentir segura, fator que, como dissemos anteriormente, é fundamental para o desenvolvimento saudável da criança. Estar seguro, portanto, é perceber a disponibilidade e a acessibilidade da figura de apego que a alivia e a acomoda, diminuindo as situações de estresse. Longe de a mãe ser uma figura substituível, sua presença é indispensável.

É com isso que a criança estrutura e constrói a percepção gradual de seu mundo interno e externo, com o consequente aprendizado de como deve se comportar conforme tenha aprendido por meio da figura materna e dos contatos sucessivos que ela estabelece com o mundo exterior, contatos esses intermediados pela mãe. Estabelecem-se assim as figuras significativas interiorizadas e o modelo de mundo a partir dos quais a criança passa a perceber e avaliar os acontecimentos, prognosticando, mais tarde, o futuro e fazendo planos.

Essas pequenas coisas, que muitos dos leitores talvez achem banais e cotidianas, dependem muito da empatia materna, ou seja, da capacidade da mãe de compreender e conceituar aquilo que a criança sente em cada ocasião e para isso o mínimo de que ela necessita (fora as características pessoais de personalidade) é conhecer o próprio filho, o que lhe exige tempo e disponibilidade.

Além disso, a mãe precisa ser sensível para que possa interpretar, de maneira adequada, os diferentes sinais emitidos pela criança em diferentes situações. Isso também demanda conhecimento, interesse e tempo.

Como consequência, ela tem que responder a essa criança efetiva e rapidamente e, principalmente, deve estar disponível a ela, fornecendo-lhe a segurança de que necessita em qualquer situação, validando-a emocionalmente ao dar-lhe a importância e o apoio em qualquer situação, por mais insignificante que pareça.

Cabe lembrar que apoio e respaldo não significam dar razão sempre, em qualquer situação, ou que ela não possa ter uma postura crítica com relação ao filho. Essas características que citamos até aqui representam muito mais a disponibilidade e a dedicação em ser mãe, o que não pode se constituir em uma tarefa a ser cumprida, mas sim em algo muito mais importante (qualquer que seja o tempo que se tem para exercer a função), uma vez que vai se constituir na matriz de personalidade desse indivíduo em desenvolvimento. Portanto, decidir ser mãe, mais do que ter um filho porque "o prazo está vencendo e os óvulos envelhecem" ou porque "meu sonho sempre foi ser mãe", é uma opção que deve ser tomada com consciência de seu custo e de sua importância.

As respostas emocionais são de mão dupla, com a criança dando, inicialmente, respostas inatas e, posteriormente, com seu desenvolvimento cognitivo e emocional, por meio de comportamentos cada vez mais elaborados, embora sempre seja preciso considerar os fatores limitantes e as dificuldades sociais que afetam esse relacionamento tão importante. Claro que a presença do pai é fundamental, inclusive enquanto sistema de suporte, porém é importante perceber quando a criança passa a fazer parte de um jogo conjugal, muitas vezes não consciente, mas que revela disfunções que afetarão, inclusive, o desenvolvimento desse filho.

Assim, é frequente verificarmos crianças com 5 anos que não conseguem dormir sozinhas, tendo que ir para a cama dos pais todos os dias e que são, de certa maneira, estimuladas nesse comportamento por um dos genitores (na maior parte das vezes a mãe), que, com isso, mascara disfunções conjugais, mas que também influi, de maneira marcada, no desenvolvimento da criança. Esta, por seu lado, muitas vezes, impede qualquer tipo de aproximação da mãe com o parceiro quando ela está presente ou que repete com ela, condutas que vê naquele com o qual se identifica, até mesmo desrespeitando ou maltratando o outro genitor.

Isso porque o pai, ao menos teoricamente, deve facilitar o processo de separação e de individuação da criança com a mãe, facilitando sua autonomia, sua competência e sua segurança. Ele se constitui assim em uma figura de apego alternativa, principalmente quando a mãe tem dificuldades pessoais, embora a relação de apego entre mãe e filho seja independente daquela estabelecida, posteriormente, entre pai e filho, a qual terá um peso importante no seu desenvolvimento social e em sua autonomia. Isso se reflete em casos de relacionamentos de ausência constante e intensa e em relacionamentos menos satisfatórios da mãe com o companheiro, o que só reforça o papel do pai também no desenvolvimento dessas relações de apego, embora a mãe, como dissemos, permaneça fundamental.

Com o aparecimento da linguagem, a partir do segundo ano de vida, o padrão afetivo da criança se desenvolve com o aprendizado de palavras que lhes permitem a identificação de emoções e sentimentos, o que vai facilitar a regulação dos afetos consigo mesma e com outras pessoas. Cabe lembrar que o aprendizado dessas palavras é, habitualmente, realizado pelos próprios pais, o que acentua a importância destes, não sendo o ambiente escolar aquele que irá suprir essas características e necessidades. Com isso a criança aprende a comparar afetos e a obter respostas verbais às suas emoções, o que lhe permitirá novas experiências, cada vez mais diferenciadas e complexas, uma vez que passam a ocorrer também fora do ambiente familiar.

Assim, ela vai separando cada vez mais a fantasia da realidade, avaliando seus estados afetivos e organizando suas experiências cada vez melhor a partir da relação com seus pais. Aprende assim a enfrentar a ansiedade, a tristeza e outros afetos que ela avalia e utiliza como sinais para criar estratégias que alterem as situações de estresse, pois ela passa a ter consciência dos fenômenos mentais, compreendendo o seu pensamento e o do outro. Dessa maneira, a sensibilidade e a resposta aos estados emocionais da criança são fundamentais para que ela aprenda a regular os afetos e emoções desagradáveis, contando-os às outras pessoas. A superproteção ou o simples ignorar o fenômeno levam a padrões deficitários de funcionamento. Esses padrões de apego, à medida que a criança cresce, vão se estabilizando e permanecendo constantes no decorrer da vida, repetindo-se posteriormente com as novas gerações.

O diálogo entre pais e filhos, desde muito precocemente, é assim um processo em que ambos se influenciam e ambos respondem à demanda um do outro. A conduta social da criança depende assim, em grande parte, da resposta adequada do adulto, bem como a conduta dos pais também passa a ser influenciada pela do filho. Dessa maneira, entram em jogo a representação interna e a conduta dos pais, assim como a representação mental e a conduta dos filhos.

Consequentemente, as escalas de valores e os estilos educativos variam entre as famílias e, por isso, os pais são aqueles que responderão pelas normas de conduta e hábitos de cada criança, sendo simplesmente desleixo deixar isso a cargo da escola. Isso vale para as regras disciplinares, compreendidas como a aquisição de habilidades tomadas a partir dos modelos fornecidos pelas figuras parentais. Isso porque crianças pequenas têm em seus pais pessoas às quais admiram, posto que as protegem e, por isso, são extremamente importantes, o que lhes dá o desejo de imitá-los. Por isso é que dos pais dependem os modelos de autodomínio, paciência e respeito, aprendendo-se a discutir e a resolver os problemas a partir dessas estratégias. Do mesmo modo, a relação afetiva com os pais permite o desenvolvimento social e afetivo com os demais, canalizando-se e regulando-se a agressividade e o reconhecimento de direitos e deveres.

Não é, portanto, a satisfação total de necessidades que resolve isso. Uma casa com três elementos e quatro televisões, uma em cada quarto e uma na sala, apresenta exatamente a impossibilidade de se resolverem problemas por meio do diálogo, suportando-se frustrações e reconhecendo-se os direitos e deveres de cada um dos elementos. Esse pequeno exemplo traz exatamente dificuldades que se agravarão na medida em que a criança cresce, uma vez que não aprendeu nada daquilo que deveria ter aprendido a partir das condutas parentais. Mais uma vez ressalto que não vale o discurso, mas a atitude coerente, que é a fonte de modelo e imitação da criança.

Com a escolaridade essa descentralização aumenta e a criança passa a ter que analisar outras pessoas e outros pontos de vista diferentes dos seus e que, não necessariamente, a satisfarão. Ela avança assim na construção de sua identidade, relativiza a conduta de seus pais, inicia a construção de seu autoconceito a partir de sua aparência e características, bem como daquilo que valoriza em si e projeta sobre os outros. Se antes ela se sobrevaloriza, agora tem que se criticar e se comparar com os demais, priorizando os valores culturais e sociais, uma vez que é nesse grupo social que ela irá viver. Identifica-se com o próprio sexo (salvo exceções que, conforme já dissemos antes, devem assim ser consideradas, como exceções) e assume papéis (afetivos, expressivos e verbais) que lhe são eficazes, seguros e expressivos. Embora não exista certeza com respeito ao sexo biológico naquilo que se refere a características psíquicas, existem muitas influências ambientais e é exatamente por isso que algumas questões ideológicas devem ser questionadas, pois estamos falando do desenvolvimento da criança ou das aspirações e questionamentos ideológicos dos pais, que projetam sobre ela suas aspirações, inseguranças e questionamentos. A criança tem que, gradualmente, conhecer-se, conhecer os demais, interpretar seus sentimentos e os dos demais, bem como os valores seus e dos demais, para que possa, mais tarde, escolher e se situar dentro de uma determinada perspectiva.

Isso caminha *pari passu* com a adoção de normas e valores sociais que, inicialmente, a criança aplica ao pé da letra, interpretando a atitude dos pais e submetendo-se, dando lugar, mais tarde, a uma autonomia baseada no respeito mútuo, o que lhe vai permitir construir as próprias regras, pagando o preço (sozinho) dessa construção. Isso também depende dessa segurança fornecida pelas relações de apego que estruturarão sua personalidade de modo a fazê-la conseguir enfrentar situações de risco ou de ameaça sem precisar depender ou voltar à base parental segura.

Sai assim de um período na qual é monitorada totalmente para outro no qual, a partir da segurança que sente, se arrisca na solução dos problemas, sabendo a quem pode recorrer. Ao final chega à autonomia, embasada na segurança presente e nas estratégias e condutas aprendidas e apreendidas no decorrer da infância. Tudo isso visando-se aquilo que nos parece mais importante: o desenvolvimento da independência e da autonomia infantil.

Dessa maneira, o simples colocar o papel da mãe como amoroso não tem significado, pois amores podem ser opressivos, se constituindo em verdadeiras cadeias e correntes pesadas e sufocantes, que impedem o distanciamento e a autonomia.

O amor real, que sugerimos e que embasa a criação do vínculo, é generoso e propicia a autonomia, mesmo que isso leve, inexoravelmente, à "perda" do filho, que, ao crescer, busca novas relações e outra vida, distanciando-se das figuras parentais no que se refere a aspectos geográficos e temporais, porém não naqueles ligados ao afeto. É assim um fio flexível que permite e facilita o afastamento, embora mantenha as ligações. O amor real modela, é generoso e se preocupa com o progresso e o desenvolvimento (principalmente afetivo) da criança.

O contrário disso sufoca, constrange, se impõe, ama aquilo que acredita que é o amor, mas que se caracteriza como posse ("o meu filho", "o meu namorado", "a minha mulher"). Exige a disponibilidade e o agradecimento constantes, nada podendo existir além dessa relação. É um relacionamento de ter e não de estar, que se perpetua na idade adulta e se reproduz em outros relacionamentos conjugais e filiais. Por isso, mãe, preste atenção e tenha cuidado com esse modo de pensar e agir.

Dessa maneira, ser mãe é ser única, sabendo que seu significado é propiciar e auxiliar o crescimento, a independência e a autonomia e o seu corolário é a perda e a solidão.

Ser mãe, portanto, não é ter quem cuide de si na velhice, mas saber que cuidou de alguém desde a mais tenra infância até o momento em que esse indivíduo pode "bater asas" e voar, deixando o ninho de modo independente.

Para isso é preciso uma vida própria, pois o filho, embora seja parte importante dessa vida, não a constitui nem dá o significado a ela por si só e é podendo dividir a própria vida que se constitui o outro. O oposto é uma relação simbiótica que impede o crescimento e leva à estagnação.

8
A Estupidez do Politicamente Correto...

Em um mundo politicamente correto como o nosso, de repente, como que num passe de mágica, definiu-se uma série de normas e princípios que parecem estar universalmente corretos e embasados em ciência pura.

Ledo engano!

As coisas faladas e divulgadas através da mídia e mesmo nas conversas cotidianas são na maior parte meramente opiniões e não existem trabalhos metodologicamente bem conduzidos que nos levem a dizer de maneira indiscutível faça isso ou aquilo em relação a como criar nossos filhos.

Dessa maneira, o que temos é um apanhado de opiniões, na maior parte das vezes ideologicamente embasadas e que se dispõem a fazer a revolução social a partir da sua casa.

Não que eu tenha nada contra a revolução social, mas é preciso saber se se quer que ela comece a partir de sua casa e qual o preço que se está disposto a pagar por essa posição política e ideológica.

Sim, pois isso não é uma posição científica e sim política e, como qualquer posicionamento político que se tome, tem um custo.

Há alguns anos, me procurou uma mãe, acompanhada por seu filho de 11 anos, com a queixa de desobediência: em sua fazenda, ele havia pegado o trator, sem comunicar ao pai, e andado com ele, batendo em um barranco e conseguindo assim um prejuízo econômico, além do risco envolvido.

Durante toda a entrevista, entretanto, o que mais me chamou a atenção foi essa mãe que repetia, durante todo o tempo:

— Mas se ele ao menos tivesse falado para o pai...

Em um dado momento, não entendendo o fato e não resistindo à curiosidade, perguntei:

— Mas, me desculpe, por que a senhora diz que ele deveria ter falado com o pai? (Em minha cabeça um ato desse tipo, pela lógica de um garoto de 11 anos, deveria ter sido realizado mesmo, às escondidas?)

— Pela razão óbvia! – me disse ela, surpresa pelo absurdo da minha pergunta. – Porque aí o pai iria com ele e os riscos seriam menores.

Me disse ela surpresa pelo absurdo da minha pergunta.

Ainda pasmo pelo inusitado da resposta, não resisti a perguntar novamente:

— Mas ele tem só 11 anos. Por lei ele não pode dirigir um veículo.

Para minha maior surpresa essa mãe, entre irritada e brava por tamanha impertinência, respondeu:

— Mas nós não concordamos com essa lei.

Mais uma vez não resisti:

— Pois é! A senhora veja, seu filho não tem nada. Ele só age igual à senhora. A senhora não concorda com essa lei maior e a desobedece descaradamente. Ele não concorda com a sua e também faz o mesmo. Os atos são iguais, não há nada a ser tratado nele.

A discordância das leis é um direito em qualquer democracia, mas as regras para se mudarem as leis também são claras. O simples desrespeito a elas tem consequências, não somente em nível macrossocial como a maioria das pessoas pensam, mas em nível familiar também, pois é esse exemplo que a criança absorve e toma como modelo para novas condutas e formas de ver a vida. Do mesmo modo como essa mãe mostrava, explicitamente, a discordância da lei, seu filho mostrava a mesma coisa, discordando da lei menor, familiar.

Igualmente, não deixa de ser surpreendente quando, conversando com um adolescente de 14 anos, lhe pergunto:

— E o que você pensa ser quando adulto?

— Rico, ora!

— Não, acho que você não compreendeu minha pergunta. Ficar rico é consequência daquilo que faço e não objetivo. Então, o que estou lhe perguntando é: o que você pretende fazer para ficar rico?

— Não! Você é que não entendeu a minha resposta. Meu objetivo é ficar rico e pra isso eu faço o que for necessário.

— Bem, se é assim, vale até traficar drogas?

— Claro! Se for pra eu ganhar dinheiro, por que não?

Considerando que estou me referindo a um garoto de classe social diferenciada, que frequenta as melhores escolas da cidade e tem acesso a uma série de regalias, cabe pensar: o que o faz pensar de maneira tão pouco ética?

Alguns podem ser tentados a responder de forma simplista dizendo que são as características pessoais, com base puramente genética. Entretanto, quando falamos em seres humanos e em seu desenvolvimento de personalidade, nos referimos a temperamento e caráter, sendo que um deles pode ser determinado pelos aspectos do equipamento genético-constitucional, porém o outro é profundamente influenciado pelo ambiente, que, no caso da criança, se resume primeiramente ao ambiente familiar e posteriormente ao escolar. Assim, antes de se jogar a culpa nos amigos ou naqueles que "levaram meu filho para o mau caminho", cabe perguntar quais os exemplos e os modelos de pensamento expressos no meu discurso e através da minha conduta que ele toma como exemplos e cópia.

Hoje, fala-se muito do problema da mídia e dos jogos eletrônicos e, claro, temos que pensá-los dentro de um esquema de cultura de massa que dispersa as informações, fragmentando-as e tornando quase impossível se encontrar coerência entre elas, o que leva a diminuição do senso crítico. Ora, a criança é extremamente vulnerável a isso e, portanto, cabe aos pais o propiciar o desenvolvimento dessa capacidade de crítica, que lhe será útil no decorrer de toda a vida.

Dessa maneira, não será ler o livro de Monteiro Lobato ou de Mark Twain que fará seu filho ser racista e preconceituoso porque as personagens da Tia Anastácia ou de alguns personagens de *Tom Sawyer* são negros e ex-escravos. É a presença da mãe, sua atenção e participação na leitura com ele, que o fará pensar (a partir do que ela pensa) e escolher aquilo que lhe parece correto. Não é a mera restrição de conhecimento que vai levá-lo a ser mais tolerante. Ao contrário, culturas de censura e pouca tolerância tendem a ser mais restritas e favorecem menos o raciocínio crítico. São os pais que farão esse desenvolvimento da crítica, independentemente daquilo que for lido. São os pais que terão o cuidado de indicar, incentivar e discutir sobre o que é lido e não uma censura social ou estatal, ideologicamente comprometida, que deve decidir, até porque isso é fadado ao insucesso.

Pensar sobre isso faz parte importante do desenvolvimento infantil e da participação parental nele.

Hoje isso se torna ainda mais importante uma vez que a sociedade de consumo e de massa uniformiza suas mensagens, que são, assim, divulgadas e vendidas como se fossem a expressão de uma verdade que, entretanto, nunca pôde ser provada. Fica somente no senso comum. E vamos concordar, senso comum por senso comum, por que não o seu? Afinal é a mãe que conhece o filho melhor que ninguém e, principalmente, é quem vai conviver com ele durante longo tempo.

Você já pensou por que todas as revistas e colunas de jornal falam, quase sempre, a mesma coisa?

Por isso, ao mantermos algoritmos e esquemas para que você aprenda a criar seus filhos através de um livro de receitas pré-estabelecido, embora aparente ser mais fácil, cria uma superficialidade e um esquematismo que, no máximo, favorecem a criação de um bom consumidor.

Aliás, se você não tomar cuidado, seu filho preferirá um novo *iPad* a que um livro interessante, não somente porque a linguagem é mais fácil ou porque os amiguinhos todos têm. Ele vai preferir porque você não o estimulou (fazendo e lendo junto com ele) a nada diferente. Talvez até porque você também esteja mais preocupado com o seu *iPad*.

Isso tudo faz com que se selecionem valores rentáveis, a partir de uma ideologia determinada, fundamentada principalmente no êxito que justifica todas as atitudes, inclusive a violência. Por isso tudo fica homogêneo. Por isso se repetem os mesmos modelos e, por isso, se homogeneízam e uniformizam as crianças, que são cada vez menos crianças e cada vez mais consumidores.

Isso vale para tudo: TV, HQ, cinema, videogames, computadores...

Seus filhos não são príncipes...eles não são os herdeiros do trono da Inglaterra e, por isso, não podem correr o risco de nenhum tipo de influência malévola. Cabe aos pais a seleção e, principalmente, o estímulo do que ler, ver, fazer e pensar, mas para isso é precisa ESTAR junto...

Aproveite que, paralelamente a esse esquema consumista e de valorização de bens, em termos da expressão dos desejos e dos fantasmas, persiste ainda na criança e no adolescente um esquema mítico, relacionado a uma série de temas, quer de provas a um herói (facilmente visualizado através das RPG ou dos videogames jogados pelos adolescentes da pós-modernidade), quer de rituais iniciatórios, quer de combates com monstros, ou mesmo com relação às riquezas ou à beleza e à própria mulher.

Tudo isso pode ser rico na criação e no desenvolvimento de valores, mas estes são dados pelos pais. Pela participação dos pais. A ausência ou omissão dos pais fará o filho somente se valer dos valores divulgados e presentes no processo de massificação que, como sabemos, não tem muito a ser copiado.

Todo o processo de desenvolvimento de seu filho consiste em nada mais do que no gradativo desligamento da autoridade dos pais por meio de um processo penoso e fruto das mais variadas fantasias. Essas fantasias podem ser compartilhadas e você pode auxiliá-lo a vivê-las, pois para a criança pequena os pais são sinônimo de poder, de onipotência e de autoridade, ficando como maior desejo o querer tornar-se igual a eles. Pense como será ele ficar igualzinho a você.

Pouco a pouco, no entanto, a criança começa a perceber as limitações dos pais, comparando-os a outros adultos e criticando-os.

É assim que ela vai se estruturando como personalidade. Nessa progressiva liberação, observamos mais detalhadamente duas finalidades, uma erótica e outra ambiciosa. Na primeira, a figura materna ocupa um lugar de destaque, de objeto de curiosidade e de fantasiosa infidelidade. Posterior e paralelamente, a criança substitui o pai real pelo idealizado, maior, mítico e procura algo como um pai-modelo e uma mãe virtuosa. Só bem mais tarde o seu psiquismo se estrutura de maneira adulta, cortando os vínculos de dependência, estabelecendo possibilidades de um relacionamento interpessoal maduro. É você quem vai viver essas fases todas com a criança. Para compreendê-las e auxiliá-la nesse caminho, você precisa, em primeiro lugar, estar perto. Em segundo, compreendê-la e auxiliá-la escutando suas dúvidas e apoiando suas incertezas. Isso não significa que ela tem sempre razão, porém que você está sempre disposto a ouvi-la.

Você ainda enfrentará a rebelião contra a autoridade paterna, representada nos meios de comunicação de massa de diferentes maneiras, e que se apresenta, na maioria das vezes, de forma muito próxima à ideação infantil. Isso não quer dizer que você sempre dirá sim. O não é um aprendizado importante para a vida e para suportar frustrações, ambas fazendo parte do desenvolvimento saudável.

A mãe não suportar o choro ou o sofrimento do filho não significa o passaporte para que ele cresça bem. Significa, na maioria das vezes, a criação de um indivíduo intolerante, pouco adaptado, insensível e dependente.

Limites e defeitos fazem parte da vida e percebê-los e saber lidar com eles é mais importante do que a eterna recriminação de que a sociedade é insensível e o mundo me deve coisas. É importante que seu filho aprenda isso desde muito cedo.

O mundo não deve nada. Nós construímos nossas vidas a partir de nossos objetivos e de nossos esforços e isso deve ser passado, por meio do discurso, mas também dos seus atos, para seu filho.

Não adianta ser "politicamente correto" e ficar falando que o "lobo mau" do Chapeuzinho Vermelho é uma injustiça contra a ecologia, pois ao se defrontar com ele ou seu filho saberá identificar o perigo ou será literalmente devorado.

Parece ser mais fácil ensinar um mundo cor-de-rosa e imaginário, sem dores ou sofrimentos, mas isso significa retirá-lo da realidade com a qual, infelizmente, ele terá de conviver.

Não que essa realidade não possa ou deva ser transformada, mas você tem que se perguntar sempre se isso será feito a partir da sua casa ou se com seu filho, pois não pense que os outros meninos de 8 anos, ao vê-lo chegar vestido de Branca de Neve, por exemplo, vão ficar quietinhos dizendo que acharam lindas as rendas de sua blusa.

Não! Ele será objeto de chacota e de agressões. Isso não significa que você não deva ensiná-lo a respeitar o outro, mas você não pode acreditar que vão respeitá-lo. Você pode saber o que você acredita e faz, mas não pode controlar aquilo que os outros deveriam fazer.

Quando se pensa em TV temos que, em primeiro lugar, saber que ela não substitui os pais nem é uma babá interessante. Assim, a orientação quanto a sua programação deve ser dada pelos pais, que podem orientar o filho (é mais fácil quando juntos) para programas não violentos, especialmente com conteúdo educativo, embora a violência também faça parte de nosso cotidiano e, por isso, seu filho tem que saber enfrentá-la, assim como controlar a sua própria.

Isso não altera o fato de que um limite de horas para assistirem televisão deve ser estabelecido e cumprido, porém a grande oportunidade de participação consiste em falar sobre aquilo que torna um programa divertido, triste ou escabroso, podendo-se tentar comparar o quanto a própria família é igual ou diferente daquela apresentada na TV, da mesma forma que pode se apresentar o quanto os personagens e características da programação divergem da realidade.

Como os filhos não são ilhas isoladas dentro de um contexto cultural, é inevitável que vejam situações inadequadas ou violentas, mas isso permite aos pais que essas sejam vistas conjuntamente e discutidas de maneira a que a criança perceba como as pessoas deveriam se comportar e que a violência não é a solução mais adequada para os conflitos.

As redes sociais e o uso do computador enquadram-se no mesmo tipo de situações, pois, paralelamente ao alcance midiático e comunicacional que envolvem, trazem à tona questões interessantes relativas a uma sociabilidade virtual na qual o conhecimento do outro e sua proximidade tendem a desaparecer, coisificando-o e descaracterizando-o mais, tornando-se marcantes a perda de privacidade e a tendência à transformação da vida, que passa de privada a pública, uma vez que fatos, pessoas e relações saem do espaço pessoal, individual e privado para o impessoal e público. Tudo isso pode e deve ser vivido conjuntamente, desde o princípio e não somente a partir da adolescência, pois não se faz parte, repentinamente, do universo de alguém. Um universo se constitui conjuntamente ao longo do desenvolvimento de ambos, do filho enquanto filho e dos pais enquanto pais.

Dessa maneira, o uso desses equipamentos pressupõe que as crianças têm o direito de saber os aspectos positivos e negativos de seu uso, sendo educadas para a sua utilização racional. Isso não impede que se conte com equipamentos de segurança destinados a protegê-las de influências negativas e de conteúdos inapropriados, promovendo seu uso para seu desenvolvimento cognitivo (literatura, assuntos específicos, resolução de problemas), embora sabendo que esse uso fornece oportunidade de desenvolver habilidades motoras finas, mas requer proteção contra danos musculares e visuais.

Considerando que, conforme temos dito até aqui, a criança se constitui a partir de um equipamento genético-constitucional e de um investimento sociocultural, sua relação com o mundo circundante é construída a partir dos significados pessoais e sociais que constituirão sua identidade e que, sem a menor sombra de dúvida, serão fornecidos principalmente por seus pais. Assim, mais do que simplesmente serem joguetes das informações veiculadas, desculpando-se pela falta de tempo para estarem juntos ou por darem tudo aquilo de melhor que se poderia dar, os pais têm que partir de uma pergunta que deve ser feita cotidianamente: "O que eu, realmente, desejo para meu filho?".

Dizemos isso porque é muito frequente vermos casais com seus filhos almoçando juntos nos finais de semana, todos à mesma mesa, porém cada um com seu *smartphone*, perdidos em seu mundo virtual, com raros momentos de interação e de trocas verbais e afetivas.

Pergunte-se, então, qual o modelo de relacionamento que você está passando para ele e se é isso que você espera dele.

Se não for, pergunte-se o quê e como deve ser mudado nesse funcionamento da família.

Um filho, mais do que uma espécie natural, é uma ideia e, por isso, não há nele quase nada incondicionado ou fortuito. O que ele é em uma situação de fato, que se transforma incessantemente através de uma liberdade que não é incondicionada, e que depende desse ambiente no qual os pais são os principais autores. Não é a escola. Não são os especialistas. Não é a mídia. São vocês, pais, que abriram mão, no decorrer dos últimos tempos dessa característica fundamental para a espécie: ser pai e mãe. Não valem a censura pura e simples nem a ausência de limites e o descaso... Nenhum desses instrumentos substitui as ligações de afeto que modelam e motivam os comportamentos infantis.

Os meios de comunicação são hoje autores e atores desse processo e contribuem de maneira indiscutível na formação das novas gerações, mas cabe aos pais a responsabilidade de pensar naquilo que desejam formar e criar enquanto identidade de seus filhos, não para que eles sejam bem-sucedidos, mas para que sejam autônomos e, principalmente, felizes.

E aí cabe uma pergunta prévia que serve de base a esta: Vocês o são? Por que não?

9
As "Novas Superstições"...

Podemos dizer, e não serei eu aquele que dirá esta frase original: "Deus está morto!". Nietzsche já a disse no século XIX e, embora não seja o objetivo deste trabalho discutir a existência ou não da divindade, temos que admitir que a mudança de seu papel a partir do século XIX se alterou muito, ocasionando mudanças significativas na atividade humana e, em consequência, na sua atividade cotidiana.

Isso porque com a existência de Deus se acreditava em um plano e um objetivo originais que definiriam ao homem e, consequentemente a toda a sua descendência, projetos muito bem definidos e qualificados.

Com a modernidade, bem como com o progresso da ciência e da tecnologia, esse plano divino passa a dar lugar a uma ideia de Natureza que, por se

imaginar que tenha leis muito bem definidas, é passível de conhecimento e, consequentemente, de controle. E essa ideia tem uma influência enorme na nossa vida, pois essa troca de paradigmas afeta a conduta humana de uma maneira muito maior do que aquela que imaginamos, pois tiramos de um Deus onisciente, onipresente e onipotente os desígnios que regem nossa vida e que só serão conhecidos através da sua vontade e das regras que, desde os primórdios, ele estabeleceu.

Em seu lugar, colocamos uma ideia de Natureza passível de ser conhecida por meio da Ciência, que, teoricamente, nos permite controlá-la e atingir objetivos muito bem definidos; dentre eles, esse que estamos abordando: como fazer crianças saudáveis.

Ora, essa ideia é interessante, embora nos pareça falaciosa, posto que na vida cotidiana, mesmo nos valendo de conhecimento com bases científicas, não utilizamos a Ciência propriamente dita para a solução dos problemas domésticos.

Isso porque Ciência é a busca do conhecimento a partir de uma metodologia específica e, longe de considerar algum conhecimento como absoluto, os considera sempre como transitórios, devendo-se procurar falseá-los, pois somente assim é que vamos chegando cada vez mais próximos de um conhecimento real, considerando-se sempre as limitações temporais, espaciais e históricas.

Durante a vida comum nos valemos, na maioria das vezes, de um conhecimento vulgar, ligado ao sensório e à intersubjetividade, com a maioria das pessoas concordando com as afirmações que fazemos. Assim, não precisamos "medir" o comprimento de ondas luminosas para dizermos que "o sofá é amarelo". Basta olharmos, vermos aquilo que consideramos amarelo e termos a concordância da maior parte das pessoas quanto à nossa expressão.

Ora, era exatamente dessa maneira que nossas avós criavam seus filhos e netos: a partir de sua percepção do fenômeno, do aval dado por meio das opiniões e dos costumes e, em última instância, das regras religiosas e morais que regiam, muitas vezes de maneira rígida, esses costumes.

Repentinamente, mudamos.

Hoje, queremos criar nossos filhos de "maneira científica", a partir de "regras imutáveis" e com a "garantia" de resultados rentáveis e adequados às nossas perspectivas de produção. Assim, um problema qualquer que a criança apresente em primeiro lugar deve ser considerado uma "falha técnica" e não algo a ser pensado de maneira compreensiva. Se por um lado isso parece mais fácil de fazer, por outro é menos eficaz, embora pareça mais mágico.

Isso nos levou à formação de técnicos que agradecem (não sei bem por quê) não serem mais especialistas em seres humanos, mas técnicos que "consertam" as crianças que funcionam mal. Só que isso significa apenas que eles também "consertam" mal.

Por outro lado, nos trouxe mitos, vistos quase sempre como verdades absolutas e não como possibilidades ou probabilidades, enviesando diagnósticos e tratamentos e fazendo com que as crianças tenham passado a ser vistas como máquinas das quais se esperam um determinado tipo de funcionamento e rendimento sem se considerarem as variáveis familiares e sociais (mais difíceis de serem consideradas, uma vez que envolvem mudanças nem sempre agradáveis por parte de ambas, bem como exigem visões que transcendem a mera abordagem medicamentosa ou psicoterápica).

Esses mitos se refletem em atitudes práticas que já vêm de longo tempo, embora, nos pareça, tenham se agravado nos últimos anos.

Narra Nicolay:[a] "Uma criança com 10 anos me foi trazida pela mãe. Ela é indisciplinada, preguiçosa, colérica, se recusa a comer carne...quando seus pais a repreendem ela faz ar de pouco-caso, sai de perto...dorme e, depois de duas ou três consultas, ela se transforma. O médico que a avaliou primeiramente viu uma doença, mas para nós não é nada mais do que um tipo comum de criança malcriada. Em lugar de a hipnotizar, não teria sido melhor lhe dar um corretivo?".

Claro que temos que considerar que o referido caso é do século XIX e por isso a terapêutica era a hipnose e a sugestão foi de corretivo, ambas atitudes que fariam os "politicamente corretos pós-modernos" se arrepiarem, porém, guardadas as proporções, fazemos algo similar, pois muitas vezes consideramos doenças meras disfunções educacionais e, consequentemente, a abordagem médica, por si só, torna-se ineficaz.

Dessa maneira, um dos primeiros mitos modernos com o qual nos defrontamos quando vemos uma criança é a questão da hereditariedade.

"Bisavós ou avós, ou quaisquer outros parentes esquizofrênicos, não garantem que o bisneto o será..."

Essa é uma questão importante, pois é impossível negarmos que os últimos anos do século XX e o início do XXI trouxeram conhecimentos inimagináveis décadas antes, principalmente naquilo que se refere às neurociências, a genética e ao comportamento.

---

[a] Nicolay F. *Les enfants mal élevés*. Paris: Perrin, 1896.

No entanto, é claro também que na maioria das doenças mentais, quando falamos de padrões hereditários (e falamos muito em padrões hereditários), nos referimos àquilo que denominamos herança multifatorial ou poligênica, a partir da qual um comportamento é expresso por inúmeros genes (e não somente por um par de genes, como nos quadros de herança mendeliana pura) que, ao interagir com o ambiente, expressam um determinado caráter. Ou seja, o fenótipo é o resultado entre a relação gene e ambiente.

Para aqueles não afeitos à expressão, podemos responder dizendo que fenótipo corresponde às características observáveis, passíveis de mensuração, ou seja, correspondem à expressão física dos genes através dos ciclos da vida, ou ainda à soma total das características observáveis e detectáveis em um indivíduo ou grupo, determinadas pelo genótipo e por fatores genéticos e ambientais.[b] Tira-se assim o peso da genética e, principalmente, seu determinismo no tato e na compreensão da criança como ela é.

Quando falamos então em quadros mentais isso se complica mais, pois hoje pensamos em um outro conceito que é o de fenótipo comportamental, que corresponde ao aspecto característico de anormalidades comportamentais, motoras, cognitivas, linguísticas e sociais, associadas a doenças biológicas.

Em alguns casos isso que denominamos fenótipo comportamental pode se constituir em uma doença psiquiátrica ou em outros comportamentos não usuais que podem (ou não) ser considerados sintomas de condições psiquiátricas.[c]

Dessa maneira, embora riscos empíricos sejam calculáveis, eles refletem exatamente o que seu nome propõe: RISCOS. Não são afirmativas nem determinantes e exatamente por isso devem ser pesados e pensados cuidadosamente. Não basta assim que se faça um diagnóstico e um tratamento única e exclusivamente porque um bisavô materno apresentou um tipo específico de problema psiquiátrico. Um diagnóstico depende de sintomatologia, agrupamento em um quadro nosológico com início, evolução, prognóstico e, consequentemente, tratamento, e não de uma informação solta, no mais das vezes sem o menor sentido.

Assim, se seu filho apresenta alguma conduta que não lhe parece normal (e não se atenha aqui à burrice "politicamente correta", que não se cansa de dizer que "visto de perto ninguém é normal"), o primeiro passo é uma avaliação criteriosa, por profissionais competentes e cuidadosos. Não se trata aqui, como já cansamos de ouvir falar, de se concordar ou não com um diagnóstico ou com

---

[b] O'Brien G, Yule W. *Behavioural phenotypes*. Cambridge: Cambridge University, 1995.
[c] Idem, ibidem.

uma proposta terapêutica. Pensar um problema independe de opiniões. Não se concorda ou discorda de uma pneumonia, da mesma maneira que não se concorda ou discorda de um diagnóstico de retardo mental.

Não se deixe então enganar pelo argumento falacioso de que não existem causas biológicas conhecidas no momento para se falar em uma doença mental, pois se não sei a causa ou se não tenho marcadores biológicos ela não existe. Lembre-se de que a sífilis é conhecida desde a Antiguidade como uma doença específica, porém sua causa só foi descoberta ao final do século XIX por questões eminentemente técnicas. Da mesma maneira, a síndrome de Down, embora descrita no século XIX, só veio a ter sua causa conhecida em 1958. Discursos são muitos, assim como as bobagens que são ditas cotidianamente, todas revestidas do falso conhecimento científico que se generaliza e se usa de maneira descuidada e sem sentido, que só prejudicará a compreensão de como seu filho funciona.

Caindo para um outro lado das superstições modernas está uma ideia tão antiga que tem suas raízes na Revolução Francesa e seus teóricos. Ela corresponde à questão da liberdade individual, que prega, entre outras coisas, que "cabe à criança escolher o seu gênero...".

Novamente, incidimos no total desconhecimento de como uma criança evolui. Uma criança inicialmente é indiferenciada enquanto eu e somente a partir do contato e da relação consigo mesma e com o outro é que ela constrói seu mundo. Nessa construção de si mesma e de seu mundo, ela, gradualmente, se descobre enquanto características físicas que constituem seu sexo biológico e, nessa descoberta, na contraposição com o mundo circunjacente, constrói seu papel sexual. Assim, embora possa haver dúvidas, pela própria indefinição inicial da criança, elas vão sendo dirimidas com seu crescimento, a ponto de se relatar que somente 1% das pessoas têm problemas relacionados a identidade de gênero e 2% estariam "confusas" quanto ao próprio gênero.[d]

Dessa maneira, portanto, somos obrigados a considerar muito cuidadosamente uma série de afirmações que se fazem no cotidiano valendo-se apenas de citações superficiais e genéricas que visam, muito mais, abordagens ideológicas que científicas propriamente ditas. A Ciência fica então como uma divindade fictícia, utilizada por grupos diversos que querem, exclusivamente, a defesa de seus interesses e ideias.

---

[d] Ortona C. *Disforia de gênero*. Entrevista com Peggy Cohen-Kettenis. *Ser Médico* 2016; XIX(77):4-9.

Conforme já falamos, com a fragilização do conceito de divindade, aumentou sobremaneira o peso do argumento científico. Assim, todos falam dele, mas poucos sabem que Ciência é simplesmente a busca do conhecimento a partir de um método que, se repetido, deve levar a um mesmo lugar.

Não se trata assim de conhecimentos absolutos e sim mutáveis, que vão se aperfeiçoando com o decorrer do tempo e com as novas experiências e conhecimentos que acumulamos. Assim, relatos de casos isolados são apenas a descrição de casos anedóticos que não devem ser tomados como exemplos ou padrões.

Isso não significa, no entanto, embora sejamos muito tentados a concordar com essa ideia simplesmente porque não pensamos a respeito, que qualquer opinião de um especialista (real ou fictício) seja científica ou tenha validade. Opiniões, mesmo de especialistas, são muitas vezes somente opiniões.

Em primeiro lugar é preciso saber quem dá a opinião e sobre o quê. Assim, enquanto médico, minha opinião tem base científica quando se trata de um conhecimento médico específico e já experimentado e validado a partir de uma metodologia específica. Enquanto pessoa posso opinar sobre qualquer coisa, desde a política externa norte-americana até sobre a moda para o próximo inverno, porém essas opiniões não são científicas e têm o caráter de um conhecimento vulgar. Por isso, quando lhe dizem que seu filho deve escolher, com 5 anos de idade, qual será seu sexo, isso é, nesse momento, somente uma opinião.

A maior parte daquilo que escutamos e consideramos científicos não é nada mais que isso e, portanto, deve ser vista com certa cautela. Nem sempre (ou na maioria das vezes) o que está escrito ou é dito através dos meios de comunicação se reveste da seriedade que a ciência exige.

Dito isso, surge outra questão mágica, relacionada às nossas crianças: "Todos os problemas infantis são solucionados por meio de medicamentos..."

É indiscutível e indubitável que os últimos anos trouxeram uma série de progressos tecnológicos para abordarmos as eventuais dificuldades que nossos filhos apresentem. Entretanto, temos que ter cuidado em não delegarmos a solução de muitos deles para algo mágico e, consequentemente, irresponsável.

Vejamos assim quais os poderes da medicação sobre o comportamento infantil, em que pese a necessidade de não cairmos em tentação e resvalarmos para o lado da irresponsabilidade psicológica, que procura dizer (de maneira simpática e convincente) que doenças psiquiátricas inexistem, principalmente em crianças e que tudo não passa de um grande golpe capitalista para que se vendam medicamentos.

Ambas as posições são absurdas.

A primeira por delegar aos medicamentos um poder maior do que eles realmente possuem e, com isso, transferir a responsabilidade de uma série de atitudes dos próprios pais, familiares e escolas para uma substância mágica que, tal como o pó de pirlimpimpim (àqueles que não conhecem sugiro a leitura de Monteiro Lobato, mesmo ele tendo sido "banido" das escolas por descrever, na primeira metade do século XX, uma empregada de sítio negra. Essas são as "burrices" do "politicamente correto". **Cuidado!**), transfere as pessoas de uma situação desconfortável para outra agradável, de maneira rápida, indolor e, principalmente, sem trabalho nenhum.

A segunda é absurda por negar todo o progresso obtido nos últimos séculos no que se refere à compreensão e ao tratamento dos problemas mentais e com isso optar por outra solução mágica (porém mais antiga) de se ater a abordagens ultrapassadas e conceitos errôneos.

Isso é tão interessante que, certa vez, em uma banca de tese, a candidata citava em um parágrafo que "infelizmente a Medicina havia optado por um caminho físico em lugar de um metafísico", ao que comentei rindo que, eu, pessoalmente, dava graças a Deus por isso, porque se fosse o contrário por minha idade eu já teria morrido, sem nenhuma possibilidade de manter minha vida com qualidade até o presente. Por isso, apesar de fora de moda, é que pensar se torna fundamental. **Pense com a sua cabeça e não com a dos outros**.

Assim, não sendo extremista em nenhuma das duas abordagens da questão, vamos pensar que dos quadros psiquiátricos que ocorrem na criança somente aqueles psicóticos, decorrentes, principalmente, de doenças sistêmicas (as ditas síndromes mentais orgânicas), é que são acessíveis unicamente à medicação e que remitem exclusivamente com elas. Todos os demais são afetados pelos psicofármacos, porém de maneira diversa. Assim, em um segundo grupo, a medicação é a principal abordagem, porém não a única, posto que abordagens psicopedagógicas, psicoterápicas e familiares são importantes enquanto sistemas de suporte. Encontram-se aqui o transtorno de déficit de atenção e hiperatividade (tão difundido e diagnosticado por alguns quanto execrado por outros) e os quadros bipolares.

Um terceiro grupo tem como ponto terapêutico básico as abordagens psicoterápicas (e aqui há que se lembrar que existem técnicas que "cientificamente" parecem ser mais eficazes que outras. Por isso não é "uma questão de opinião" gostar mais de uma abordagem lacaniana do que de uma cognitivo-comportamental. Você tem que saber isso para poder escolher a proposta terapêutica adequada àquilo de que seu filho necessita), sejam elas psicopedagógicas ou familiares. O tratamento medicamentoso é pontual, sobre sintomas específicos e não sobre o quadro de maneira a que esses remitam e o restante do projeto terapêutico possa ser efetuado. Aqui se encontram (pasme!!!!) os quadros autísticos, depressivos, ansiosos, entre outros.

Finalmente um outro grupo, teoricamente, não se beneficia da psico-farmacoterapia, embora ela venha a ser usada quando sintomas outros que não os do próprio quadro específico surgem concomitantemente. Aqui podemos encontrar os transtornos de aprendizado, os retardos mentais, os transtornos de oposição e de conduta, enfim, uma grande gama de quadros que pouco se beneficiarão da medicação, embora ela possa ser utilizada de maneira muito parcial.

Com tudo isso, a ideia de que algum neurotransmissor de seu filho está funcionando mal e que, por isso, ele deve ser medicado e, consequentemente, deverá melhorar é uma falácia. Mais ainda se você pensa que o uso de medicamentos melhorará a atenção de alguém desmotivado e desinteressado por estudar ou melhorará o desempenho cognitivo em situações específicas como o vestibular, por exemplo. Nada disso é verdade e esses mitos talvez sejam daqueles mais difundidos hoje, dificultando a que os pais vejam o que seus filhos precisam e demandam verdadeiramente, bem como as suas reais possibilidades e limites. Sim porque "o céu não é o limite" e todas as pessoas têm, obrigatoriamente, limites, maiores ou menores.

Interessante que certa vez um garoto de 11 anos me chegou para consulta já com o diagnóstico de transtorno de atenção feito pela mãe e pela escola, ambas só pedindo que eu o medicasse.

Após examiná-lo e não encontrar nada que justificasse o diagnóstico, não conseguindo convencer a mãe da falta de necessidade de medicá-lo, pedi um estudo neuropsicológico, que confirmou minha opinião clínica, mostrando uma avaliação normal, proveniente de uma criança inteligente e adequada.

Com a resistência da mãe em aceitar meu diagnóstico, decidi conversar conjuntamente com ela e a criança para ver no que eu me havia enganado e qual não foi minha surpresa quando a criança, ao perceber a discordância entre nossas opiniões, concluiu de maneira brilhante:

— Mas acho que eu sei o que eu tenho que fazer para conseguir prestar mais atenção e ir melhor na escola...

— ????

— Simples! É só me deixarem brincar um pouquinho.

— ????

— Veja. É muito difícil para mim. Eu chego na escola às sete e meia e tenho aula, todos os dias, até as quatro. Depois eu saio da escola e duas vezes por semana eu tenho aulas particulares de matemática e de inglês, duas vezes por semana eu tenho que treinar tênis, uma vez por semana eu faço terapia com minha psicóloga e uma vez por semana eu participo de um laboratório de invenções. Aí, eu chego diariamente em casa lá pelas sete da noite e tenho que tomar banho para depois jantar e fazer a lição. Quando eu termino já é hora de ir deitar. Não dá nem pra ver televisão. Eu fico muito cansado e acho que se desse pra brincar um pouquinho eu melhorava...

Ao ser inquirida sobre o fato, a mãe se justificou dizendo que a escola de tênis era diversão, assim como o laboratório de invenções. Argumentei que é completamente diferente, pois brincar é algo livre e criativo e uma escola, seja ela de esportes ou de qualquer outra coisa, é uma escola, com objetivos específicos e metas a serem atingidas. O argumento de que dá para brincar aos sábados e domingos também incorre no mesmo raciocínio. Esquece-se que crianças não funcionam igual a adultos e que se a semana de cinco dias é habitual para estes, só atividades "sérias" durante cinco ou seis dias da semana não é adequado para a criança, pois ela, tal como uma planta, necessita de espaço e de ar para crescer. Esse espaço e ar são dados a ela por meio da possibilidade de brincar e de, com isso, criar e aprender como viver consigo mesma e, principalmente, com os outros, outros esses cada vez mais distantes atualmente pela restrição espacial que faz com que os únicos locais e oportunidades nos quais a criança pode exercitar sua autonomia são restritos e controlados totalmente, como condomínios, que nem sempre têm outras crianças ou viabilizam atividades lúdicas.

Outra mãe chegou com uma criança de 9 anos de idade e queixa de agressividade desde os 4 anos, principalmente quando contrariada, chegando ao extremo de ter trancado a própria mãe e o padrasto em seu quarto quando, ao horário de dormir, lhe foi proibido que permanecesse com eles.

A escola e os pais demandavam, assim, nova medicação que diminuísse esses comportamentos inadequados, já que as medicações anteriores tinham se mostrado insatisfatórias.

Durante a entrevista, entretanto, conseguimos saber que essa mãe, separada do pai da criança desde a gestação, havia voltado a se casar quando a criança estava exatamente com 4 anos. Como a mãe trabalhava, a criança era deixada na creche (e posteriormente na escola) por uma cuidadora, que também permanecia com ela no restante do dia.

A criança começou então a agredir as outras crianças na escola, que chamava a mãe, obrigada então a deixar o trabalho para levá-lo para casa. Reforçava-se assim uma conduta inadequada satisfazendo-se seu desejo, jamais reconhecido e característico de toda criança: ter mãe, cuidadora e afetiva, próxima ao menos por algum tempo.

E aqui não estamos falando de quantidade de tempo. Longe de mim dizer que mães não devem ter vida própria. Estou falando de "qualidade de tempo". Algum tempo, com boa qualidade (e não só para o cumprimento de tarefas), deve ser dedicado à criança.

Enfim, alguns mitos modernos substituíram mitos antigos e, se hoje rimos de nossas bisavós quando lembramos que elas nos benziam contra mau-olhado, como seremos vistos por nossos bisnetos quando eles avaliarem que vemos as nossas crianças como adultos miniaturizados sem direito àquilo que é de mais básico na infância: brincar e sonhar?

10
A Questão dos "Diagnósticos"

Embora a maior parte dos psicólogos vá trazer questões ideológicas bastante marcadas sobre a "rotulação" decorrente do processo diagnóstico, torna-se cada vez mais frequente o uso dos mesmos, embora de maneira vulgar e sem qualquer embasamento técnico, coisa que, ao contrário de seu objetivo (que é o de auxiliar a se estabelecer o melhor modo de ajudar a quem assim o precisa), se torna uma mera atitude discriminatória ou, ao contrário, o dilui como algo inconsequente e pouco específico. Assim, não é difícil escutarmos em uma conversa no bar da faculdade algo do tipo "hoje eu estou bipolar" ou "fiquei deprimido a semana passada", sem se perceber que o uso dessas expressões, dessa maneira pouco qualificada, só serve para, realmente, discriminar e "atrapalhar" a criança caso ela, realmente, necessite de algo mais específico.

Assim, a primeira questão a ser pensada é se ela necessita "realmente" de um atendimento específico por apresentar alterações significativas em alguma área de seu desenvolvimento ou se ele, simplesmente, não corresponde às expectativas dos pais ou da escola. Veja: "ele não tem obrigação" de ser "tão bom aluno" ou "tão quietinho" como a mãe gostaria, mas isso pode não significar nada de importante.

Isso me recorda uma garota de 13 anos, trazida por sua mãe, médica também, que apresentava a queixa de a menina, mesmo sendo extremamente habilidosa em tênis, a ponto de já ter ganhado bolsa para dois ou três laboratórios no exterior, se recusar a treinar com o afinco que deveria.

Ao ser entrevistada, a garota foi clara e explícita:

— Eu não quero ser jogadora profissional de tênis. Eu gosto de tênis, mas só para me divertir. Não quero entrar nas competições.

Diante disso a mãe não se conformava, argumentando que ela estava desperdiçando seu futuro, que poderia ser brilhante e que poderia vir a ganhar muito mais do que ela, uma simples médica, além de ter a chance de vir a ser muito mais famosa.

Claro que meu diagnóstico de criança normal, sem nenhum problema, não satisfez a mãe, que, imagino, deva ter procurado outro profissional que satisfizesse suas demandas e necessidades.

Cabe, entretanto, lembrar que um profissional não "vende" o diagnóstico que os pais ou a escola querem ouvir (mesmo com alguns profissionais tendo esse tipo de atitude). Ele diz o que acredita que a criança apresenta e o que ela deve fazer para melhorar, tudo dentro de uma visão científica, apoiada nas evidências existentes naquele momento. Ele é, portanto, responsável pelo bem estar dessa criança, defendendo-a inclusive das pretensões e das demandas inadequadas do ambiente. Assim, escolha bem o profissional que vai cuidar de seu filho, caso ele necessite de atendimento especializado.

Uma vez percebendo, então, que a criança apresenta algo "anormal" (não necessariamente patológico), ela deve ser adequadamente avaliada.

Entretanto, para que pensemos que ela apresenta algum desempenho ou conduta que possamos considerar anormal temos que partir da premissa de que a doença mental pode incidir sobre ela, porém essa incidência se processa de maneira bastante diferente daquela observada no adulto. Assim, aqueles que falam que trata bem de uma criança doente quem conhece a doença mesmo que não conheça crianças referem-se somente a seu total desconhecimento da criança e, como tal, não devem ser levados a sério.

Isso porque, além de tudo, para tratar direito de crianças (e isso vale também para os pais em seu relacionamento cotidiano com elas) é preciso conhecê-las, não somente para amá-las (porque só se ama adequadamente aquilo que se conhece), mas também para cuidar delas de maneira adequada e não de modo adulto-símile. Assim, se eu pensar em uma conduta inadequada conforme padrões adultomorfos, nunca me será possível compreender a criança. Para que isso aconteça, no entanto, precisa é preciso "perder tempo" conhecendo-a.

Certa vez, ao dar alta médica para um garoto de 11 anos que atendi psicoterapicamente durante algum tempo, ele me surpreendeu com um comentário lapidar:

— Quando eu te conheci, não gostei de você porque você não me deixou fazer o que eu queria na hora, e eu sempre tinha feito o que queria [claro que não o deixei fazer uma fogueira no meio da minha sala de atendimento]. Mas agora eu sei por que eu fazia tudo o que queria.

Diante do meu silêncio, continuou:

— Porque nunca ninguém prestou atenção em mim.

Muitas vezes condutas inadequadas são fruto de condutas mais inadequadas ainda dos cuidadores, sejam eles pais, a escola ou quem quer que seja. Por isso, a primeira coisa a fazer é aprender a olhar o filho e, principalmente, a ouvi-lo.

Finalmente, para se fazer um diagnóstico é necessário conhecimento profundo da área em questão. Não basta o preenchimento de escalas, acessíveis por meio da internet, nem se basear em frases feitas (muitas vezes até mesmo sem sentido), repetidas até a exaustão nas mídias atuais. Esses diagnósticos, com a profundidade de um pires (pois de um prato raso já seria muito), são muito mais daninhos do que qualquer coisa, pois transformam indivíduos comuns, às vezes com algumas dificuldades relacionais, em indivíduos estigmatizados de famílias preocupadas e, muitas vezes desesperadas.

Como é para a mãe de uma criança de 5 anos ouvir, repetidas vezes, da professora (de colégio tradicional e caro) que seu filho tem problemas de aprendizado e, após pedir um processamento auditivo, diagnosticá-lo com déficit de atenção?

Claro que ninguém considerou nem a idade da criança (crianças com essa idade não fazem processamento auditivo, nem as professoras são capazes de diagnosticar adequadamente déficit de atenção), nem se a escola era adequada (a professora, com tal conduta, com certeza não o era), nem se o exame poderia ser realizado com essa idade.

Não! Deu-se um diagnóstico e encaminhou-se para um atendimento bilíngue (pasmem?!?!), pois alguém (sabe-se lá quem) definiu que uma criança com 5 anos de idade tem que ser alfabetizada, obrigatoriamente, em duas línguas.

O pior é que, muitas vezes por motivos familiares ou de aspirações e expectativas, quem dá diagnósticos absurdos dessa ordem nem sequer é questionado, com a criança permanecendo, quase sempre, no mesmo ambiente que irá massacrá-la no decorrer dos anos porque cumpre as demandas parentais e as necessidades da escola. Não massacrar seu filho é o mínimo que deve ser feito.

Assim, lembre-se de que um filho é para ser quem ele é e não para ser quem você quer que ele seja.

Como tal, ele tem capacidades e dificuldades, como todas as demais pessoas, e assim deve ser visto, com possibilidades e limites. A partir daí ele deverá ser apoiado, estimulado e observado para que seu desenvolvimento (real e não o idealizado) seja bom e para que, principalmente, ele seja feliz.

Para tal temos ainda que pensar que a criança, durante todo o seu processo de desenvolvimento, é um ser heterônomo e como tal tem que ser pensada (isso a difere fundamentalmente do adulto). Exatamente devido a essa heteronomia, os sistemas familiares e sociais de sustentação (representados pela escola) têm fundamental importância. Por isso os pais não são meros observadores da vida de seus filhos. Eles são participantes de importância, ou, como dizia uma velha peça publicitária: "Não basta ser pai. É preciso participar!".

A escolha da escola depende não somente da sua fama ou da capacidade de formar grandes executivos (aliás não sei muito bem de onde vem tal ideia), mas de vários fatores que devem ser pensados:

A escola representa e traz consigo valores e semelhantes aos da própria família? Isso porque famílias rígidas em escolas liberais, do mesmo modo que famílias liberais em escolas rígidas, são fonte inesgotável de problemas e incompreensões.

Ela se adapta ao seu filho? Sim, porque é a escola que deve se adaptar, suprindo as eventuais dificuldades, e não seu filho que tem que se "encaixar", ainda que a "marteladas", em uma escola que tem como meta formar executivos para um mundo globalizado.

Os amigos que ele fará nesse ambiente representam o universo com o qual ele está acostumado?

Isso me faz lembrar de um menino com cerca de 11 anos de idade, que estudava em uma escola de nível social muito alto, graças a uma bolsa obtida por meio do esforço de seus pais, que me chegou com quadro ansioso acentuado, dizendo:

— É muito difícil para mim. Os outros meninos voltam das férias contando que estiveram em diferentes lugares bonitos como o Havaí ou Londres e eu tenho vergonha de falar que estive na Praia Grande porque eles já caçoam de mim dizendo que os meus tênis são nacionais, imagine se souberem das minhas férias...

Isso tudo porque o diagnóstico (e um eventual tratamento) deve obrigatoriamente levar em consideração todas essas variáveis que interferem ou até são os gatilhos responsáveis pelo quadro clínico diagnosticado.

Assim, ninguém imaginará que esse menino poderia ser tratado somente por meio de medicação ou que seu transtorno ansioso se devia apenas a uma disfunção no metabolismo de serotonina em alguns núcleos cerebrais.

Pensar que "...tratar a doença é mais importante do que conhecer a criança", na melhor das hipóteses é, portanto, um absurdo tão grande que só é justificável quando proveniente de alguém que só conhece crianças por meio de literatura. Por outro lado, achar que ela não tem nada e que tudo é só uma "construção social" é uma omissão imperdoável.

Depois de termos questionado os diagnósticos vulgares e populares, assim como aqueles mal feitos, temos que mencionar que um diagnóstico é a tentativa de compreensão da criança que se encontra no mundo em meio a outras pessoas e somente a partir desse mundo é que ela pode ser compreendida, considerando-se que ela se encontra em mutação constante. Para estabelecê-lo procura-se o conhecimento dela mesma e dos fenômenos que a envolvem, bem como as suas condições e potencialidades.

Considerando desse modo, é importante que se perceba também que as visões francamente psicologizantes e sociais, com cunho predominantemente ideológico, que vemos em várias falas do cotidiano, representam um extremo do pensamento, ao considerar a doença mental a expressão saudável de uma sociedade conturbada.

Para que usamos então um diagnóstico?

Diagnosticar algo é reconhecer uma patologia ou um indivíduo doente com um propósito específico, seja ele clínico (terapêutica), visando a comunicação, uma investigação (anatomopatológico ou epidemiológico) ou qualquer outro (perícia laboral ou forense) e essa hipótese diagnóstica é um operador eficaz que permite ao clínico avaliar uma série de sinais diferenciados e um conjunto de modelos psicopatológicos próprios visando obter, fundamentado em uma lógica, um resultado que satisfará seu propósito específico.[a]

Portanto, a mãe tem que saber por que quer um diagnóstico para seu filho.

As entidades clínicas em Psiquiatria da Infância correspondem a construtos teóricos e por isso é ignorância pura para falar que a ausência de causas conhecidas

---

[a] Miranda Sá Jr LS. *O diagnóstico psiquiátrico e a CID 10*. Tese de Livre-docência apresentada à Universidade Gama Filho, Rio de Janeiro, 1992.

as invalida. Seus conceitos repousam sobre critérios de diferenciação, caracterizando categorias definidas por agrupamento ou por exclusão. E é dessa maneira lógica que se constituem entidades distintas entre si e diferentes da normalidade e que, além de um construto estatístico, constituem um construto adaptativo, não sob o ponto de vista social, tão criticado pelos ambientalistas e adeptos das "construções sociais", mas principalmente sob o ponto de vista adaptativo biológico.

Assim, por exemplo, em uma espécie gregária, a necessidade de agrupamento em bandos é eficaz na medida em que permite divisão de tarefas, maior especialização mas, principalmente, permite o trabalho conjunto, que se mostra mais rápido e eficaz.

Ora, um déficit cognitivo que interfira especificamente nessa questão da sociabilidade interfere diretamente em uma capacidade adaptativa, acarretando um prejuízo ao indivíduo afetado. É a esse tipo de fenômeno que estamos considerando anormal. É esse tipo de coisa, portanto, que deve (ou não) ser diagnosticada e não a não correspondência a expectativas, demandas ou valores da família ou do grupo social.

Um diagnóstico serve, então, para que se avaliem capacidades que podem se reduzir ou se modificar dependendo das circunstâncias. Assim, sua finalidade é identificar e medir, de modo controlado, forças e fraquezas no funcionamento dos indivíduos e é essa investigação que estabelece as bases para a denominação do quadro (o diagnóstico clínico propriamente dito), que pode (ou não) revelar alterações cerebrais não suspeitadas, mas que permite prever riscos a certos tipos de tratamento, planejar as intervenções que devem ser realizadas visando-se primordialmente (re)estabelecer a qualidade de vida da criança (e não satisfazer as exigências do ambiente no qual ela se insere).

Interferem aqui as condições médicas gerais, que darão, muitas vezes, um diagnóstico etiológico e outras vezes um diagnóstico associado, ambos fundamentais para se pensar a história natural da doença, bem como os problemas psicossociais e ambientais, uma vez que o homem é um ser que altera seu ambiente e é alterado por ele. Assim, no que se refere à criança, esse ambiente é de fundamental importância para se traçar qualquer projeto de habilitação.

Em consequência disso, a família é fundamental enquanto um sistema dentro do qual as pessoas vivem num mesmo espaço físico, mantendo entre si relações com significado e de interdependência, uma vez que as relações entre a criança e os processos de dinâmica de grupo da vida em família são um fator de extrema importância na manutenção ou no desencadeamento de estados de enfermidade e saúde mental. Assim, mesmo considerando-se suas várias funções (biológica, econômica, psicológica e social), são as duas últimas que se revestem de uma importância grande: é que delas que dependem a satisfação e o bem estar da criança, assim como sua qualidade de vida e aprendizado de como se relacionar com outros indivíduos e com o grupo social, uma vez que a função social da família é exatamente funcionar como matriz de identidade da criança, possibilitando-a ver-se como um ser inserido em um contexto afetivo e social, com valores característicos dentro de uma cultura específica. O papel da família é, portanto, de fundamental importância e por isso os pais têm um peso que não cansamos de acentuar.

Assim, a ideia de raízes familiares e de pertencimento a um grupo e a uma cultura proporcionam à criança segurança, valores e princípios, que lhe possibilitarão se localizar no mundo e agir conforme aquilo que lhe foi oferecido com significado.

As relações familiares são diferentes entre si, constituindo-se em relações de aliança, estabelecidas entre marido e mulher e expressas diante da criança por meio da coerência de opiniões e condutas diante de seus atos.

É frequente vermos opiniões e condutas conflitantes entre os pais se refletindo na manipulação das situações pela criança, que usa o genitor que lhe parece mais acessível e forte o suficiente para impor suas opiniões diante do outro. Isso desvaloriza esse genitor e ensina a arte da manipulação e da desvalorização do mais fraco.

A mãe de um menino de 5 anos desesperava-se por ele, ao desobedecê-la quando o mandava fazer algo, dizer que "ela não mandava nada e que não sabia nada". Na verdade, ele simplesmente imitava o pai, figura forte e dominadora da casa, que, nas discussões com a mãe, diante desse mesmo filho, acentuava seu poder e dominação dizendo que ela fazia tudo errado e que não o obedecia. Paralelamente à desvalorização da mãe, ensinava-se aqui o filho, por meio do modelo paterno, a desobedecê-la, bem como a desvalorizar futuros parceiros de relacionamento.

Estabelecem-se ainda relações de consanguinidade (entre os irmãos), que irão mostrar e ensinar o convívio com o outro, a necessidade de se repartir coisas e interesses, mas, principalmente, a atenção das figuras de referência. Mais ainda, é a possibilidade de se perceber e lidar com o ciúme, com a inveja e com a agressividade, todas tendo que ser moduladas e adequadas à vida em grupo.

Claro que isso não altera o sofrimento e a dor, que podem e devem ser minimizados a partir da escuta e da compreensão dos pais.

Interessante lembrar de uma menininha de 4 anos que, pouco tempo após o nascimento do irmão que, obviamente, pela idade e demandas, passou a ser o centro das atenções e dos cuidados, chegou um dia chorando para sua mãe dizendo que o nenê a havia machucado.

Claro que a mãe sabia que isso era impossível, uma vez que ele ainda não saía do próprio berço. Mesmo assim escutou-a e acolheu-a, perguntando:

— Onde ele te machucou? Onde dói?

E a menininha, entre soluços, coloca a mão sobre o coração e diz:

— Aqui...

Não existe melhor definição de angústia que essa. A constrição precordial descrita pelos autores clássicos é aqui muito bem definida por uma garotinha e o cuidado, do mesmo modo que em qualquer processo psicoterápico, é primeiramente escutá-la, acolhê-la e compreendê-la em seu sofrimento, mostrando-lhe, não por meio de discursos, mas sim por meio da conduta expressa, que a mãe continuava ali, disposta a estar com ela e a cuidar dela e que os cuidados que o irmão demandava eram só momentâneos devido à sua pouca idade.

Esse é o papel da mãe e do pai.

Isso é aquilo que a criança demanda e de que necessita para ser saudável.

Não se pode exigir que ela compreenda como qualquer adulto o faria e dizemos isso porque não somente com irmãos menores, mas também com irmãos com problemas, esses sentimentos de abandono e de descuido surgem com frequência, com os pais achando que é facilmente compreensível para a criança que o irmão demande mais cuidados por uma eventual deficiência ou outro tipo de problema.

Isso não é verdade e deve ser suprido, compreendido e, dentro dessa compreensão, explicado.

O oposto nos leva a situações nas quais um adolescente, ao ser perguntado sobre como ele via ficar adulto e cuidar da irmã autista com grave comprometimento, respondeu:

— Eu não tenho nenhuma ligação com ela. Acho que enquanto nós éramos pequenos eu sempre vi meus pais cuidarem muito dela e eu ficava olhando. Algumas vezes eles achavam que eu tinha que ajudar. Eu sentia a falta deles e não gostava de cuidar dela. Assim, eu nunca vou deixar ela passar nenhuma necessidade, mas a hora que eu crescer, se meus pais morrerem, eu coloco ela em um lugar para que cuidem dela e eu pago e vou visitar de vez em quando...

Finalmente existem as relações de filiação (que se estabelecem entre pais e filhos) e que envolvem processos hierárquicos, posto que, conforme já dissemos, uma família é uma organização hierárquica na qual a democracia se estabelece pela troca de poder entre pai e mãe, mas nunca entre pais e filhos. Envolve ainda processos que envolvem valores, a necessidade de colaboração entre seus membros, a cooperação e, principalmente, o aprendizado e o desejo de se querer, e gostar, de satisfazer o outro. Embora as relações entre pais e filhos sejam assimétricas, um filho não deve ser aquele que sempre é satisfeito, pois ele também deve aprender a se preocupar com a satisfação do outro, representado quer pelos seus pais quer pelos irmãos. Isso faz parte dessa matriz de identidade, ou seja, faz parte do aprendizado em família.

Dessa maneira, uma família organizada, com todos os membros, funciona diversamente de uma família na qual falta um membro, qualquer que seja o motivo. Do mesmo modo, quando falamos que uma criança deve estar segura, mas também se sentir segura, referimo-nos à estabilidade familiar ou à tendência de ela permanecer unida ou não.

A dinâmica de funcionamento familiar é extremamente importante, uma vez que ela pode ser satisfatória ou não, envolvendo padrões de comunicação, de expressão de afeto físico ou verbal, de flexibilidade, de trocas, de facilitação de crescimento de seus membros etc. Assim, uma família rígida, com baixa expressão de afeto e uma autoridade centralizada e rígida, com uma figura dominante e pouco flexível, tenderá a ter uma série de problemas maiores na medida em que a criança for crescendo e percebendo essa dinâmica de funcionamento. Claro que não se pode colocar como regra o "viverem felizes para sempre" porque isso lembra mais propaganda de margarina, mas é claro que é preciso ter em mente que a família influenciará profundamente o crescimento dessa criança e que, exatamente por isso, ela deve ser pensada e questionada.

Finalmente, uma avaliação global de funcionamento realizada de modo pragmático permite dizer de que tipo de tarefas e de auxílios a criança necessita, bem como em que áreas. Isso tudo é que deve ser pensado antes de estabelecermos diagnósticos superficiais e estigmatizantes para a criança e para a família.

Um diagnóstico, mais do que um deus onipotente ou uma certeza absoluta, é a abertura de possibilidades de atuação e como tal deve ser visto, não como desculpa ou justificativa para eventuais falhas ou decepções, mas sim como a possibilidade de auxílio que a criança pode estar demandando.

11
Os Milagres da Modernidade

Vivemos em mundo assediado por resultados e pelo tempo e com isso costumamos nos esquecer que tanto tempo como resultados a curto prazo são meras invenções humanas, surgidas após a Revolução Agrícola e, portanto, com cerca de, no máximo 15.000 anos.

Anteriormente vivemos muitos milhares de anos em função de resultados imediatos visando a sobrevivência, com a ideia de futuro sendo pouco considerada, uma vez que dispúnhamos de muito pouco controle sobre os fatos que determinavam ou alteravam o nosso existir.

Dessa maneira, o desenvolvimento infantil parecia ser óbvio, uma vez que se desenrolava natural e corriqueiramente na convivência do dia a dia.

Com o advento da Revolução Agrícola, nos fixamos espacialmente e, consequentemente, formamos grupos cada vez maiores. Isso fez com que novas necessidades se estabelecessem.

Primitivamente as crianças eram meras posses de seus pais e, como tais, eles poderiam dispor delas a seu bel-prazer, inclusive vendendo-as para a quitação de dívidas, por exemplo.

Mesmo no pós-cristianismo (e aí já falamos de muito pouco tempo atrás), a criança não tinha um papel importante, sendo vista como um pequeno adulto (fato que, conforme

comentamos em outra parte deste trabalho, parece que, embora de maneira diversa, caminhamos em direção similar), passível de trabalhar, auxiliando seus pais na luta pela sobrevivência.

Podemos dizer que é a partir do século XIX que ela começa a ter um lugar de maior destaque e, esse lugar destacado é validado pela ciência do momento, com o surgimento de técnicas e teorias que visavam o crescimento de bons cidadãos, passíveis de servirem ao poder estabelecido e de se adequarem a ele.

Não é por acaso que começa a se enfatizar também o papel da escola como formadora de cidadãos por meio da educação fornecida, constituindo-se naquilo que podemos chamar de um "aparelho ideológico de Estado", no dizer de Althusser.[a]

Assim, estamos falando de duas características diferentes e antagônicas: uma delas a escola como instituição destinada a "formar" bons e adequados cidadãos; outra, nos moldes da proposta socrática, destinada a fazer o indivíduo "aprender" a pensar.

Não acredito que essa última proposta, a despeito dos discursos tão frequentes, seja o objetivo da escola atual, a menos que se diga que ela implica "aprender a pensar de um modo determinado e ideologicamente embasado". Aliás, basta ver como evolui a proposta socrática, com ele sendo acusado de corromper a juventude e tendo sido morto por isso, para termos a certeza de que "ensinar a pensar" não faz parte das propostas escolares. Faz parte, isso sim e cada vez mais, a tentativa de unidirecionar o pensamento infantil para modelos específicos de valores e normas que se tornam, crescentemente, homogêneas, estáveis e de difícil mudança, tendo-se em vista a criação de um grande mercado produtor e consumidor.

Assim, teríamos que nos deter e pensar que não será a escola a solução do nosso problema inicial de como fazer crianças saudáveis, embora ela tenha, conforme já enfatizamos várias vezes, um papel de relevância.

A criança tem que perceber a escola como um ambiente seguro no qual ela seja capaz de cumprir, com êxito suas demandas. Isso não significa aprovação automática, mas sim possibilidades de aprendizado de maneira pouco competitiva e tolerante.

Isso se torna de extrema importância, uma vez que é a escola o mais importante contexto social e de aprendizado de conhecimentos, propiciando encontros

---

[a] Althusser L. *Aparelhos ideológicos de Estado*. São Paulo: Graal, 1989.

novos e desconhecidos e fazendo com que a criança aprenda a se deparar e confrontar com as ambiguidades que irão permear seu processo de desenvolvimento.

Dessa maneira, os fatores interpessoais (e já dissemos que grande parte do aprendizado se faz informalmente, por meio desses contatos cotidianos) desempenham um papel importante na promoção desse aprendizado acadêmico, desde que ele otimize os conceitos a partir de apoio, autonomia e estímulo ao relacionamento entre os indivíduos. Isso porque as amizades, como relações voluntárias e recíprocas entre as crianças, são um apoio, principalmente para as crianças menores, na sua relação de adaptação ao novo ambiente que, com a modernidade, se torna cada vez mais precoce.

Novamente ressaltamos que isso não altera a importância das relações intrafamiliares, que temos enfatizado até o momento uma vez que apego seguro é a base para que essas pequenas crianças, ainda em idade pré-escolar, desenvolvam competência na sua relação com os pares, sendo mais bem aceitas e, em consequência, desenvolvam amizades mais facilmente. Lembrem-se de que, para um ser gregário, essa capacidade é de fundamental importância.

Assim, o afastamento por parte dos companheiros e colegas (e aqui encontramos os comportamentos de *bullying*) acaba por desenvolver atitudes negativas, inibindo a exploração gradual do ambiente. Surgem assim comportamentos de choro, tristeza, queixas frequentes, apatia, recusa pela escola, apego excessivo ao adulto e muitos outros sintomas que podem ser compreendidos como a percepção da solidão associada a estar sozinho em meio aos outros (alguns autores mais antigos falam de "hospitalismo intrafamiliar"[b]).

Claro que podemos raciocinar de maneira mais simplista e imediatista dizendo que se trata somente de um Transtorno de Ansiedade de Separação e que isso nada mais é do que manutenção de sistemas de alerta, biologicamente estruturados.

Podemos também solucionar o sintoma com um psicofármaco adequado, que diminuirá as respostas observadas e os comportamentos inadequados.

Porém, se queremos realmente crianças saudáveis temos que, além de minimizar os sintomas (fato indispensável, pois a diminuição do sofrimento infantil é fundamental), compreender o seu sofrimento e, ao compreendê-lo, ampará-la, ouvindo-a e mostrando-lhe a nossa permanência (independentemente do próprio afastamento físico) e disponibilidade em auxiliá-la e dar-lhe suporte.

---

[b] Ajuriaguerra J. *Manual de psiquiatria infantil*. Madrid: Toray-Masson, 1979.

Spitz R. *El primer año de vida del niño*. Madrid: Aguilar, 1984.

Não deixe, portanto, seu filho se sentir só, embora isso não signifique estar o tempo todo com ele.

Claro que isso demanda mais trabalho e mais tempo por parte dos pais, porém relações de apego seguro não são estabelecidas rapidamente nem quando temos tempo livre. Elas são feitas gradual e cuidadosamente durante toda a infância.

Isso se aplica também aos professores, que têm, entre outras coisas, o papel de cuidar (na acepção exata do termo, fornecer cuidados, acolher) da criança, sendo responsáveis pelo seu bem estar físico e psíquico naquele momento de ausência dos pais. Dessa maneira, mais do que uma atitude eminentemente técnica (e criar e educar crianças não é uma atitude técnica), é uma atitude afetiva, proporcionando a segurança necessária para que a criança possa explorar o ambiente por meio da sua facilitação.

É óbvio que isso não significa ausência de regras nem de autoridade. Do mesmo modo que os pais, o professor tem também essa responsabilidade, uma vez que ele substitui, naqueles momentos, o sistema parental. Assim, torna-se absurdo uma escola telefonar para a mãe e "exigir" sua presença todas as vezes que houver problemas disciplinares com seu filho.

Cabe aos professores, portanto, o desenvolvimento de relações de apoio, de dependência (uma vez que falamos de crianças de pouca idade e, portanto, com pequena autonomia) e de administração de conflitos (já que, ao representarem a autoridade do adulto, entram, obrigatoriamente, em conflito com a frustração dos desejos infantis).

Vale ainda lembrar que apego é diferente de dependência, a qual apresenta conotações negativas para o desenvolvimento, uma vez que impede ou dificulta a autonomia, que deve ir se desenvolvendo, ainda que de maneira gradual. Assim, passa-se de uma dependência inicial derivada de sentimentos de solidão e ansiedade, bem como do medo pelo novo ambiente, sentimentos esses que impedem as crianças de explorá-lo adequadamente, para atitudes de maior independência e autonomia. Claro que as crianças são diferentes entre si, por características próprias, mas também e muito, pelas relações que estabeleceram em família e que propiciaram (ou não) um determinado padrão de apego.

Dessa maneira, não será a escolha de uma "escola certa" que fará seu filho saudável, porém a escolha de uma escola adequada às necessidades dele e compatível com seu padrão familiar auxiliará sobremaneira na busca desse objetivo.

Outro "achado" da pós-modernidade é a medicação milagrosa.

Ela é buscada a partir de pequenos esforços, pouco trabalho e, preferencialmente com resultados garantidos. Torna-se cada vez mais difícil admitir que existem limites, que algumas condutas não serão alteradas e que se o forem, o serão em função de enorme esforço por parte de todo o grupo familiar, muitas vezes à custa mesmo da remodelação de toda a sua dinâmica.

Certa vez recebi como urgência, a pedido de um colega, um garotinho de 5 anos que um dia antes havia destruído o seu consultório e um local público no qual havia ido fazer alguns documentos com os pais.

Ao chegar à sala de espera, me deparo com um loirinho lindo dormindo.

Falei que gostaria de examiná-lo, a mãe o acorda e, diante da negativa do menino em ir comigo, inicia aquele diálogo tão comum às mães:

— Vai, filhinho...o titio vai te mostrar uma coisa linda lá dentro...se você for, depois nós vamos ao McDonald's... — Evidenciam-se aqui as atitudes de sedução e de suborno para com a criança e não cabe à mãe nem seduzi-la nem suborná-la.

Após esperar cerca de 10 minutos para que a mãe o convencesse e diante da atitude firmemente opositora do pequeno, pedi licença aos pais e tomando-o ao colo levei-o para minha sala.

Lá pude observar um verdadeiro terremoto. O pequeno gritava, chutava a porta, se jogava ao chão. Aproveitando uma pequena pausa no meio do grande escândalo, eu disse a ele que só iríamos conversar e que depois eu chamaria seus pais.

Nada adiantou. O espetáculo continuou até que num dado momento o pequeno me olha, coloca as mãos na cintura e de maneira extremamente agressiva me diz:

— Tá vendo essas coisas em cima da tua mesa? Vou jogar todas no chão.

Até então passivo, levantei-me imediatamente (até para que ele visse que as nossas alturas e tamanhos eram incompatíveis) e lhe disse:

— Experimente fazer e você verá o que acontece.

Ainda desafiador, ele me diz:

— Por quê? O que você vai fazer?

— Experimente...

O desafio permaneceu por mais alguns minutos, findos os quais ele, voluntariamente, sentou-se, perguntou se poderíamos brincar. Conversamos, desenhamos e quando terminei lhe disse:

— Agora vou chamar seus pais. Você quer ficar junto?

Diante de sua resposta afirmativa, acrescentei:

— Está bem, mas você terá que ficar quietinho naquela poltrona, caso contrário vai ter que sair da sala.

Com a sua concordância, chamei os pais e iniciei a entrevista com eles. Depois de algum tempo, diante do comportamento inusitado de seu filho, a mãe não se conteve e me perguntou:

— Mas qual o milagre que o senhor fez para ele ficar tão quietinho? Ontem, no consultório do seu colega, ele quebrou tudo.

De modo simples, respondi:

— Não fiz nada. Quando ele tentou, só o impedi e impus os limites que ele teria que respeitar para continuar aqui.

— Mas então tudo aquilo era só má-criação? E eu que imaginei que um remedinho iria resolver tudo...

— Minha senhora, não sei lhe dizer se o que aconteceu ou vem acontecendo é somente má-criação, mas a conduta que pude observar em seu filho ao exame não será melhorada por meio de medicamentos. Aliás, eles não terão nenhum efeito nelas e só deixarão seu menino que, aliás, é extremamente interessante [o que foi possível de ser visto quando brincamos e desenhamos conjuntamente], sonolento e mais lento. A mudança no modo de tratá-lo é que possibilitará a alteração nesses comportamentos.

Assim, as melhorias das crianças (seu desenvolvimento e suas possibilidades de autonomia e felicidade) não dependem de atos pontuais, mas de um longo e custoso investimento.

Não será uma medicação específica nem um psicoterapeuta determinado que possibilitarão crianças saudáveis. Habitualmente, tanto um quanto outro são importantes quando um problema é constatado e um projeto terapêutico específico deve ser desenvolvido. Nunca, porém para a maioria das crianças, para serem saudáveis necessitam de muito pouca coisa. Elas dependem de pais que saibam e queiram ser pais, assim como de um ambiente coerente e estável, bem como afetuoso e interessado. Só isso!

Não será por meio de um "livro de receitas" sobre como criar filhos que seu filho será saudável.

Não será a interferência do Estado sobre o modo como se criam os filhos que esse objetivo será atingido, até porque não adianta nada a criação de leis que proíbem "salgadinhos" nas escolas se eles fazem parte da cultura alimentar da família, por qualquer razão que seja, de descaso a ignorância, de sobrecarga nos cuidados ao franco desinteresse.

Crianças não são somente consequências de alterações serotoninérgicas, dopaminérgicas ou GABAérgicas. Embora todas essas possam existir, crianças são muito mais do que isso: elas são seres em processo de desenvolvimento que dependem, e muito, do ambiente no qual existem.

Crianças também não são somente frutos de uma eterna luta entre instâncias inconscientes de id e superego, mediadas pelo ego, até porque a construção dessas instâncias dependerá de todo um ambiente que influenciará e será influenciado por aqueles mediadores químicos mencionados no parágrafo anterior. Imaginar que somos só moléculas químicas é tão simplista como imaginar que não temos cérebro e que o psiquismo se passa em qualquer outro lugar.

Somos ambas as coisas e crianças são seres em desenvolvimento, de uma espécie específica e característica e, por isso, devem ser muito conhecidas antes de serem medicadas ou interpretadas do modo como vem sendo feito, raso, simplista e linear.

Elas exigem cuidado, dedicação e conhecimento.

E aqui cabe a você se fazer uma pergunta: por que decidiu ter um filho e qual o preço que está disposto(a) a pagar por essa decisão?

Lembre-se de que se você quer uma carreira profissional vitoriosa e de sucesso será obrigado a "investir" nela tempo e dedicação. Ora, um filho é mais importante e, por isso, demanda mais que uma carreira profissional e se esta não é construída a partir de migalhas de tempo, de dedicação e de cuidados, não pense que um filho saudável será construído a partir de grandes escolas, férias no exterior ou satisfazendo-lhe todas as vontades.

Um filho demanda aquilo que nossas avós designariam com o conceito genérico e inespecífico de "amor" e que pode ser traduzido por uma palavra bem mais específica e característica: cuidado.

Talvez o mais importante a ser lembrado é que cada criança é única e única também é cada família e que se os genes são de extrema importância naquilo que seu filho se transformará, uma vez que você não pode esquecer que o homem é o único animal que altera o ambiente e é alterado por ele. O ambiente no qual seu filho crescerá, e aqui se frisam basicamente família e escola, é de fundamental importância. Não estamos falando de bens de consumo ou de possibilidades sociais. Falamos de valores, de formas de relacionamento, de visão do outro e

11 – Os Milagres da Modernidade

do mundo. Isso construirá seu filho a partir do que ele já é. Sem milagres. Sem fantasias. Sem grandes teorias subjacentes. Sua responsabilidade como pai/mãe é, portanto, grande.

12
A Democracia

"Todos os homens nascem iguais..."

Sobre essa máxima inúmeras deduções são realizadas e, nem por isso elas podem ser consideradas corretas ou adequadas.

Tem-se que pensar que a frase traz em seu bojo a ideia de que "**todos os homens nascem iguais perante a lei**" e isso é muito diferente de todos os homens nascem iguais, pois se concordássemos sem pensar com essa afirmativa estaríamos negando toda a diversidade que encontramos no mundo, bem como todas as teorias de evolução conhecidas.

Entretanto, temos que considerar alguns aspectos importantes, pensando em nossos filhos, quando admitimos a ideia de diversidade. Isso porque, se partirmos de uma teoria básica de evolução (e não partir dela significa, a princípio, termos uma postura criacionista), teremos que admitir que, a princípio, todas as espécies são mutáveis (nós inclusive), com todos os organismos descendendo de um ancestral comum, porém ramificando-se devido à interação desses organismos com o ambiente.

Temos ainda que pensar que essa evolução é gradual, sem saltos e demandando muito tempo para que determinadas características e comportamentos se estabeleçam, sempre visando a adaptabilidade ligada à sobrevivência do indivíduo

e da espécie, com a multiplicação dos indivíduos sendo o indicativo da viabilidade da espécie (e sob esse ponto de vista, nos últimos cem anos, aumentamos nossa população de maneira alarmante) e a origem daquilo que chamamos diversidade, uma vez que o maior número de recombinações gênicas a possibilitaria.

Se, no entanto, partirmos das premissas que citamos no parágrafo anterior, teremos que considerar outros fatos, sendo o aumento das populações, quando na ausência de restrições, exponencial nas espécies bem sucedidas.

Na Natureza, habitualmente o tamanho das populações se mantém estável (uma estabilidade a longo prazo), exceto por flutuações sazonais, devido aos próprios limites que ela impõe às espécies. Quando algo se desequilibra, temos alterações ambientais marcadas, por exemplo quando em um novo hábitat se introduz uma nova espécie que não possui predadores. A espécie então aumenta desmesuradamente, desequilibrando o sistema ecológico, o que altera, gradualmente, os recursos disponíveis, que habitualmente são limitados, ocasionando, por fim, o controle do tamanho da população que, então, se mantém estável.

O homem é uma espécie bastante diferente das demais: ele foge dessas características seletivas, posto que tenta solucionar alguns desses problemas limitantes. Assim, falta de alimentos é um fator limitante que, até o presente, estamos conseguindo solucionar, controlando sua produção.

Doenças são outro problema que afeta as demais espécies, porém somos a única que controla, com sucesso, a maior parte delas, aumentando a expectativa de vida e diminuindo a natimortalidade.

Predadores e competidores também são fatores limitantes e nisso a espécie humana é fantástica, uma vez que acabamos com todos os predadores e competidores. Como refere Harari,[a] podemos dizer que na época da primeira revolução cognitiva o planeta abrigava cerca de 200 gêneros de mamíferos terrestres pesando mais de 50 quilos. Na época da Revolução Agrícola, com o início da nossa história, já restavam somente cem, o que caracteriza um índice imenso de destruição e extinção de espécies, inclusive predadoras. Hoje, isso, a partir da Revolução Industrial, se efetua de maneira muito mais intensa e rápida. Se pensarmos as demais espécies humanas como os neandertais, por exemplo, percebemos mais ainda o quanto acabamos com todos os nossos concorrentes, visando, especificamente, a sobrevivência de forma mais adaptada.

---

[a] Harari YN. Sapiens: *uma breve história da humanidade*. Porto Alegre: L&PM, 2016.

Partindo dessas afirmações, somos obrigados a constatar que existe uma extrema competição pela sobrevivência entre os membros de uma espécie, uma vez que os recursos são limitados e as populações, nessas condições, aumentam.

Como dito anteriormente, considerando a questão da diversidade, podemos dizer que não existem dois indivíduos iguais em uma população, o que nos leva a uma inferência desagradável: admitindo um ambiente natural, não existem dois indivíduos em uma população com a mesma probabilidade de sobrevivência (seleção das espécies).

Muitas das diferenças observadas entre os indivíduos de uma população são, portanto, hereditárias. Pode-se dizer que quando uma população é submetida durante muitas gerações à seleção natural, o resultado é a evolução.

Por mais que nos seja desagradável pensar a respeito, parece ser assim que a natureza funciona, desde as coisas mais elementares. Existe, portanto, uma seleção de gametas realizada por meio de proteínas presentes nas paredes do óvulo e que impedem a entrada de determinados espermatozoides não considerados os melhores para a fecundação daquele óvulo.

Considerando que somos seres gregários, provavelmente os primeiros grupos se constituíram por meio da seleção de parentesco, uma seleção de características que favoreceriam a sobrevivência de parentes próximos, ou seja, aqueles que possuem genótipos semelhantes. Esse argumento, provavelmente, se relaciona com a evolução do altruísmo.

Entretanto, a espécie humana foi, provavelmente, a única que se valeu da capacidade de especialização, estabelecendo também uma seleção de grupo na qual comportamentos cooperativos aumentariam a probabilidade de sobrevivência do grupo, com favorecimento da seleção natural. São aceitos assim quaisquer indivíduos não consanguíneos, mas que trazem vantagens ao grupo em questão. Isso é fácil de se observar até mesmo no comportamento de grupos modernos.

Isso porque qualquer comportamento que implique uma vantagem evolutiva é reforçado pela seleção de determinantes genéticos de tal comportamento. Portanto, longe de você pensar que comportamentos básicos são modismos ou mesmo determinados socialmente, lembre-se de que "o comportamento é o marca-passo da evolução"[b] e que, por isso, comportamentos mais bem

---

[b] Efeito de Baldwin: postula que comportamentos recém-aprendidos poderiam originar instintos e características físicas por meio da seleção natural, independentemente da herança.

adaptados sob o ponto de vista da sobrevivência são, habitualmente, preservados. Comportamentos mais adaptados não são então uma violência à individualidade de seus filhos, mas se constituem em um auxílio para seu gradual crescimento.

O cuidado com o diferente é algo não característico da espécie e envolve seu desenvolvimento histórico, cultural e ético. Exatamente por isso, é extremamente recente (quando comparado a esses comportamentos descritos) e frágil (basta ver como mudanças políticas e econômicas que ameacem a estabilidade, seja por meio de empregos ou de diminuição de renda, trazem à tona a perda de inúmeros comportamentos éticos).

Tudo isso porque, pensando no que é criar uma criança saudável, temos que ter em mente inclusive isso . Estaremos criando um ser somente adaptado e passível de sobreviver com sucesso em um mundo extremamente competitivo e que avalia as pessoas conforme aquilo que produzem e possuem ou estamos tentando criar um ser ético capaz de se inter-relacionar com seu semelhante e com o ambiente que o rodeia?

Seu filho consegue enxergar que sua liberdade termina quando ele invade a do outro? Se não consegue, deveria!!!

Essa é uma questão de difícil resposta e na qual cada pai tem que refletir antes de responder rapidamente e essa resposta deve ser pensada olhando-se a própria atitude cotidiana naquilo que diz respeito aos próprios valores e condutas. É isso que estaremos passando para nossos filhos.

Habitualmente, quando nasce um filho, se formos honestos conosco mesmos, vamos ter que admitir que gostaríamos que ele fosse, no mínimo, bonito, inteligente, rico, famoso e bem sucedido. Só isso.

Entretanto, para a Natureza nada disso é muito importante e podemos dizer que para a sanidade e felicidade dele também não sabemos se é.

O que podemos dizer, porém, é que determinados indivíduos têm a prioridade, vantagens em relação a outros do mesmo sexo e espécie, principalmente naquilo que diz respeito à reprodução e à sua capacidade de estabelecer relacionamentos sociais que lhe servirão de apoio.

Isso é claro que acarretará inúmeros outros benefícios, da mesma maneira que observamos em outras espécies, tais como conquistar e manter melhores territórios, levar a melhor nas situações de rivalidade com irmãos, cuidado com a prole, interações com a família e com a população geral.

Se você estranhar, pense que não estamos falando de nada mais do que de alguém capaz de garantir espaços vitais, levando a melhor (em média) diante dos demais competidores, estejam esses no trabalho, na família ou na comunidade. Com isso ele atrai mais facilmente companheiras, consegue cuidar melhor dos próprios filhotes e interagir, sem atritos, com os demais elementos de sua família e de sua comunidade. Entretanto, tudo isso é difícil e deve ser conseguido com os cuidados que a convivência em grupo demanda.

Você poderia então pensar que seu trabalho inexiste, posto que existem aqueles que se saem melhor (conforme falamos há pouco) nessas situações . Entretanto, no que diz respeito ao comportamento pós-natal, se o filhote humano (quero dizer seu filho) só puder contar com as informações contidas em seu DNA, ele terá uma dificuldade enorme, uma vez que, diferentemente de outras espécies, somos uma espécie que abriu mão da estabilidade em prol da flexibilidade e da maleabilidade. Isso quer dizer que seu filho não é só pré-programado, ele tem um potencial (que como qualquer potencial possui limites) que pode (e deve) ser desenvolvido durante o seu processo de crescimento.

Temos então uma questão importante. O que ele vier a aprender em sua vida, se for depender só do que você puder ensinar, é extremamente limitado, não somente porque você também tem limitações, mas porque a sua vida, devendo terminar antes da dele, não lhe permitirá ensinar tudo o que você sabe. Isso porém não muda o fato de que somos uma espécie na qual os pais têm (ou deveriam ter) um contato mais prolongado com a prole, por esta ser muito dependente e precisar de modelos não somente de conduta expressa, mas em nosso caso, na modernidade, de modelos éticos e de significados.

Essas informações, de extrema importância e que caracterizam raízes culturais e familiares, são então passadas através das gerações de modo que a elas se acrescente aquilo que se aprende com os pais e a herança genética. Dessa maneira, quando falamos de família, enfatizamos não somente uma família nuclear, mas também uma família extensa, que propicia modelos, valores e significados.

Quando vemos algumas crianças pertencentes a famílias nucleares muito rígidas que, praticamente, abolem a convivência com a família extensa, impedindo a aquisição de valores anteriores sob o argumento de que o casal e o filho se bastam, parece-nos que tanto se tira da criança a sensação de pertencimento a um grupo determinado, com sentimentos e origens similares, quanto se diminui o sistema de suporte representado pela própria cultura envolvida. Criam-se assim valores e significados mais frouxos, que servem menos para sustentação futura, pois é exatamente a oração ensinada à menininha pela mãe, quando ainda pequena, que vai lhe servir (independentemente de processos de fé ou de crença) de suporte psíquico para que quando mulher madura, ela se mantenha íntegra diante de conflitos conjugais ou pessoais.

Na espécie humana, a transmissão de informações é sofisticada, em função do desenvolvimento da linguagem que, portanto, passa a ter um papel fundamental do desenvolvimento infantil. Referimo-nos aqui tanto à linguagem oral como à linguagem escrita e a riqueza dessa última é um instrumento que permite à criança a melhor aquisição de novos horizontes, perspectivas e capacidade de pensamento.

Assim, o investimento parental, enquanto consequência marcante da imaturidade do filhote humano, comparativamente aos filhotes de primatas não humanos, torna-se, conforme destacamos, fundamental. Isso pode ser visto até na relação de que o cérebro humano ao nascer apresenta, aproximadamente, 23% de seu tamanho final, ao passo que o do filhote de um macaco Rhesus, ao nascer já representa 65% e o de um chimpanzé, 70%. A importância desse investimento parental se reflete aqui de maneira fundamental, uma vez que é responsável não somente pelo aporte proteico que permitirá esse crescimento como também por grande parte da estimulação inicial que enriquecerá esse crescimento.

Isso faz com que também o cuidado paterno, tão raro entre mamíferos (encontrado em aproximadamente 9 a 10% dos gêneros), seja também considerado fundamental para nossa espécie, interferindo futuramente como um fator determinante em rituais de acasalamento, segurança, alimentação, defesa e transporte desses filhotes. São esses comportamentos que se perpetuarão e serão copiados com discretas variações culturais no decorrer das gerações, sendo, também talvez, um dos fatores fortemente relacionado à monogamia, rara entre outras espécies mamíferas. Isso porque o papel social do pai, inexistente inicialmente, só passa a ter importância para a sobrevivência infantil em função de novas condições ecológicas e desse modo o ônus do sucesso evolutivo da criança recai, primordialmente, sobre a mãe, embora o maior esforço paterno seja vantajoso para ela. Também por isso, antes de discutir "guarda compartilhada", pense, pois cuidar de um filho é muito mais do que uma decisão judicial "democrática".

Assim, pensando na ideia de ter filhos saudáveis, algumas questões me parecem importantes desde o início.

Por Que Você Deseja Tê-los?

Diversas podem ser as respostas.

Você pode procurar (e achar) uma justificativa biológica sob o discurso da procriação, da transmissão dos seus cromossomos e genes, da criação de um grupo familiar com "laços de sangue". Embora tudo isso seja verdadeiro e, muitas vezes, o que define uma mulher a vir a se tornar mãe, sob a desculpa de que "o prazo está vencendo", não justifica por si só a escolha de ter um filho, escolha essa que é muito maior e importante para o homem moderno do que a simples transmissão de genes. Aliás, como já falei, a espécie proliferou muito e não há, pensando nela, a menor necessidade de mais um elemento (a saber, seu filho) para que ela se perpetue.

Você pode argumentar sob o aspecto afetivo, da legitimidade do desejo e do reconhecimento afetivo, uma vez que um filho é o portador da imortalidade dos pais, que se perpetuam por meio dele, devendo ser algo natural, posto que é uma relação construída com o tempo e pela necessidade recíproca de ambos, pais e filhos. Afinal quem já não escutou o ditado que refere que para se realizar a pessoa tem que, durante sua vida, plantar uma árvore, escrever um livro e criar um filho.

Podemos dizer que das três tarefas a mais importante e difícil talvez seja a de criar um filho, independentemente da atual banalização a que é submetida.

Finalmente, existe ainda um argumento institucional, no qual o valor da instituição predomina sobre a filiação biológica ("uma família precisa de filhos" ou "uma mulher que não tem filhos não se sente completa"), permitindo que os membros da família "se libertem" da realidade material com a ilusão onipotente de terem cumprido os papéis para os quais foram destinados desde a eternidade.

Nenhuma dessas justificativas, embora reais, me parece suficiente para que você opte por ter filhos, pois a questão afetiva significa você saber lidar com seus limites e possibilidades e se um filho traz infinitas possibilidades, ele representa também o surgimento de incontáveis limites que se refletirão, principalmente em sua vida pessoal, que se transformará significativamente, deixando você de ser o centro dela para esse pequenino se passar a ocupar esse espaço que, desde sempre, foi seu.

Não é por acaso que o infanticídio não é um produto do ambiente moderno, como querem fazer crer os "politicamente corretos". Ele já ocorria em sociedades de caçadores-coletores, afetando principalmente os bebês doentes e incapacitados, assim como aqueles que haviam nascido em situações pouco auspiciosas, por exemplo quando a mãe já tinha outros filhos pequenos e não tinha marido (garantia de proteção e de suporte em sociedades mais primitivas). Filhos representam investimento constante. Como diríamos hoje, "a fundo perdido". Significam, principalmente, cuidados e preocupações cotidianas e eternas (quem já não escutou também a frase "filhos criados, problemas dobrados..."?).

Caso você tenha optado por tê-los (e nossa intenção não é, de maneira nenhuma, fazê-la desistir disso, só queremos que tenha confiança no que está fazendo), saiba que a posição dos pais não é simétrica nem intercambiável com a criança. Dessa maneira, não pense que você continuará a ser a(o) eterna(o) queridinha(o) da mamãe, do papai ou do próprio cônjuge, pois a criança que chega ocupará esse espaço sem nem sequer pedir ou se preocupar com isso. Indiscutivelmente, você será obrigado a se adaptar, caso contrário ficará naquele papel ridículo e infantilizado do marido (ou da mulher) que se sente trocado(a) pela criança, manifestando ciúmes sob a forma de cobranças, recriminações e chantagens emocionais. Além disso, é bom saber que se o papel da mãe é, até mesmo, biologicamente reconhecido, o do pai depende da sua função de cuidador e educador. Por isso, se você pretende ser pai, esqueça que imaginar que o que você fará com seu filho vai depender da sua vontade.

Até hoje me recordo de um pré-adolescente que ao chegar para consulta me disse:

— Imagine que ontem meu pai chegou e me trouxe mais uma camisa de presente. Eu tenho um armário cheio delas.

Surpreso, retruquei:

— Mas não é legal ganhar uma camisa do pai?

— Claro que é, mas eu preferia muito mais que ele tivesse ido assistir à final do campeonato de futebol na minha escola no final de semana.

Como já ressaltei, não basta ser pai ou ter contribuído (quer seja com um espermatozoide, quer seja com a manutenção da casa) para o desenvolvimento da criança. É preciso participar.

Dessa maneira, ter um filho é muito mais do que simplesmente legalizar ou estabelecer a transmissão e a integridade do patrimônio familiar. Muito menos é uma motivação do tipo "salvar o casamento".

Ter um filho é muito mais que tudo isso; e saber disso é de fundamental importância para a decisão ou para assumir, adequadamente, a decisão já tomada.

Ter um filho é uma decisão ética e para aqueles que confundem ética com moral e assim a relativizam como dependente dos costumes, cabe lembrar que Ética é um ramo da filosofia que focaliza as questões de natureza moral, podendo ser descrita como "o estudo dos valores na conduta humana ou o estudo das condutas corretas. É um ramo da filosofia, também chamada filosofia moral".[c] Uma decisão ética implica eleger uma atitude de acordo com valores e meios que foram adquiridos no transcurso de toda uma vida, seja aquela passada, responsável pela construção de nossos valores, seja por aquela vida que se escolhe viver.

Da mesma maneira que é livre para ser tomada (e aqui devem ser dispensados os *scripts* sociais e familiares que consideram fundamental ter um filho), ela envolve a aplicação dos valores bons em si mesmos, com o sacrifício do individual (eu) em prol do coletivo (a família e, principalmente, a criança), para que se obtenha um bem maior (seu futuro "saudável").

Essa decisão independe, portanto, da necessidade de perenizar e imortalizar a si mesmo a partir da legalização, transmissão e manutenção da integridade do patrimônio função, título ou poder. Não é uma burla da morte, nem o suprir a necessidade de ser cuidado na velhice ou exercer uma função paterna que se considera necessária para que o desenvolvimento se complete.

Ela tem a ver, isso sim, com a concepção que se tem de Ser humano, bem como dos projetos de vida implicados nessa concepção e decorrentes do desejo e das limitações. Ou seja, ela se constitui na própria vida vivida e buscada individualmente.

Assim, ter um filho não significa ter alguém idealizado e perfeito ao lado, pois isso não quer dizer que cada um é igual aos outros na totalidade. Percebê-lo e amá-lo significa vê-lo em sua totalidade, com suas potencialidades e seus limites. Isso porque igualdade significa igualdade de oportunidades para se obter o máximo das potencialidades individuais sem levar em conta a expectativa dos pais ou da sociedade em questão, e não ultrapassar (ou se forçar a ultrapassar) limites, muitas vezes intransponíveis. Aceitar pelo que é e não pelo que se gostaria que fosse.

Evita-se assim que, em nome de uma pseudodemocracia, se tente alfabetizar, aos 5 anos e em três línguas diferentes, pequenos CEOs.

Lembre-se de que em nome dessa pseudodemocracia não se deve permitir que ocorram violências como essas com seu filho.

---

c Uustal DB. Values, Ethics, and Professional Decision Making Innovations. *Oncology Nursing* 1989; 3(2):1,4,13-15.

13
Coisas Básicas

Talvez uma das coisas mais interessantes deste momento é que vivemos um paradoxo no qual, aparentemente, temos e fornecemos aos nosso filhos tudo de bom, seja sob o ponto de vista material, seja sob o ponto de vista psicológico, porém temos cada vez mais um grande índice de insatisfação, de falta de perspectivas em nossos jovens e adolescentes e, principalmente, uma inadequação constante e frequente que os impede de seguir os rumos que já se avistam, mas que também os impede de traçar novos objetivos, sobrando, quase sempre e exclusivamente, a culpabilização da sociedade, como se devesse algo a eles, sempre incompreendidos, insatisfeitos e não reconhecidos. Temos aqui a ideia constante de que nossos filhos são sempre injustiçados e não reconhecidos em sua total capacidade e, o que é pior, passamos essas ideias a eles.

Não importa se eles não chegam na hora nem se não obedecem a regras. São assim porque são criativos.

Não interessa se eles não se dedicam a nada que não dê prazer, pois, na verdade, a vida foi feita para ser desfrutada e não para se viver acorrentado a princípios, valores, regras ou o que quer que seja.

Enfim, desde muito cedo arrumamos desculpas e nos esquecemos que a vida não é um passeio. Aliás, por que deveria ser?

Como vimos, a espécie *sapiens* existe há aproximadamente 800.000 anos e, mesmo com filhotes extremamente frágeis e necessitando de cuidados, as mães (e pais, obviamente) souberam, até muito pouco tempo, cuidar deles.

O que terá acontecido então?

Nossa sociedade foi se tornando cada vez (e de maneira muito rápida no último século) mais rica e, consequentemente, capaz de fornecer mais artigos e prazeres, diminuindo, teoricamente, o trabalho demandado para esses prazeres. Digo teoricamente porque não existe nada que se produza a partir do nada e sempre demanda é preciso um esforço quer para a produção quer para o consumo de algo.

Entretanto, passamos a criar nossos filhos como se o consumo não fosse diretamente proporcional ao produzir, pois "alguém produz e eu consumo", sem trabalho, sem sacrifício, sem custo.

Dessa maneira, criamos desde muito cedo, na cabeça de nossos filhos, um mundo utópico que é obrigatoriamente forçado a conviver com outro distópico e enquanto na Utopia se fala do que a criança deve "ser"(livre para escolher, para manifestar seu individualismo e suas opiniões de maneira até mesmo sem controle ou limites), "ter"(pois as pessoas valem por aquilo que têm e como é seu filho não poder ter o último modelo de *iPad* ou o computador mais moderno?), "precisar"(precisa-se ir para a balada, precisa-se ter roupas de grife), no mundo real, distópico, esses pequenos indivíduos sofrem com a orientação para o estudo e o trabalho (uma vez que não basta ser qualquer coisa, é preciso ser, no mínimo, o diretor de uma multinacional importante e isso já é planejado, ao menos na cabeça dos pais e escolas, a partir da pré-escola, pasmem!), num adestramento moral que os impede de exercer o principal ato a que sua imagem é frequentemente associada: "brincar".

Isso, associado ao próprio desenvolvimento dos pais, muitas vezes infantilizados e acossados pelo mito da eterna juventude prometida e mesmo exigida pela contemporaneidade, traz algumas questões interessantes que não podem deixar de ser vistas e avaliadas.

Assim, algumas experiências recentes merecem observação.

Somos a única espécie que, nos últimos anos, vem se especializando na terceirização da criação dos filhos, o que nos traz algumas questões que, conforme temos insistido em todo este trabalho, não têm respostas científicas e que possibilitam somente opiniões ou questionamentos, que é aquilo que preferimos fazer.

Alguns aspectos nos parecem importantes.

Como se estabelece o desenvolvimento do apego a partir de mães substitutas não estáveis (babás e empregadas frequentemente não o são) e que exercem suas funções somente como consequência de um ganho específico? Isso difere das mães substitutas medievais, que tinham um sistema de crenças que justificava e até mesmo valorizava sua existência e presença.

As nossas, não. Elas simplesmente exercem uma função como qualquer outra pelo mero ganho consequente a esse desenvolvimento. Assim, como fica o desenvolvimento do apego, fundamental para as relações futuras dessa criança em desenvolvimento?

Mais ainda, passamos a delegar à escola não somente a informação, mas a formação das crianças, embora restrinjamos suas atitudes, impedindo que modelos de hierarquia e obediência a regras sejam criados.

Qual não foi minha surpresa ao ver em um museu parisiense, durante as férias, grupos de pré-escolares ouvindo quietos as explicações das professoras e quando um dos meninos (com idade ao redor de uns 4-5 anos) começou a importunar uma coleguinha, ser admoestado pela professora e, como não parou nem obedeceu, foi retirado fisicamente de perto e colocado ao lado da professora, para que, se necessário (como realmente ocorreu), fosse contido fisicamente.

Fiquei, então, me perguntando o que queremos realmente da escola. Que substitua o ambiente familiar, mas qual ambiente familiar? Aquele sem regras, no qual a criança é o reizinho da casa (e por que não dizer da escola, uma vez que muitas das nossas crianças com essa idade não se envergonham de dizer ao professor: "Você tem que fazer o que eu falei, porque meu pai te paga, e por isso você tem que me obedecer), ou um local onde se aprendem o convívio, o respeito e a cooperação?

Pensando na escola, tenho lido muitos e diferentes pontos de vista sobre a criança opinar sobre como deve ir, se deve ir, com quais roupas, até mesmo se de seu gênero aparente ou não. Nunca, porém, se fala como os outros meninos se comportarão, se poderão discordar ou questionar seu filho nessas atitudes.

Ou pensamos que se o fizerem, esses meninos absurdos, que não compreendem a genialidade de seu rebento, devem ser calados e punidos? Eles sim, mas nunca seu filho...

Considerando ainda o elevado número de separações entre os casais e a questão das visitas e da guarda (atualmente está em moda a questão da guarda compartilhada, pois é "democrático" o pai participar da criação dos filhos), também nos defrontamos com a questão de se as crianças devem opinar de maneira importante no que se refere ao regime de visitas e de guarda.

Uma afirmativa dessas é totalmente oposta àquilo que preconizam os teóricos do desenvolvimento infantil, uma vez que crianças entre 7 e 11 anos de idade se encontram em um período denominado operações concretas, no qual, a partir do estabelecimento de um padrão de pensamento concreto, ela é capaz de estabelecer hipóteses sobre dados empíricos, sem, no entanto, ser capazes de avaliar consequências a médio e longo prazos. Mais que isso, se inicia nessa idade aquilo que se denomina moral autônoma, embora resquícios de uma moral heterônoma ainda existam, implicando que a influência da opinião do adulto mais forte e mais incisivo pode ser encontrada. A partir disso, a desvalorização do genitor mais fraco e menos poderoso pode se desenvolver de maneira marcada.

Crianças menores, entre 2 e 6 anos de idade, encontram-se naquilo que denominamos período pré-operatório, o que implica que ela ainda não tem condições nem sequer de avaliar, de maneira adequada, a própria realidade, estando o pensamento mágico e pré-lógico ainda presente. Assim, sua crítica é prejudicada e sua noção de tempo e de prospecção de futuro, muito mais limitada.

Assim, considerar que por ser "democrático" as crianças devem "decidir" com quem permanecem é tão absurdo como considerar que elas podem decidir se querem ou não estudar, uma vez que não conseguem ter a dimensão dos prejuízos que suas atitudes lhes ocasionariam.

Esquecemos de algo fundamental que é que a natureza (e o desenvolvimento dos filhos segue padrões naturais) não é democrática nem está preocupada com invenções humanas.

Pior ainda é se pensarmos que é nas espécies mamíferas que o pai dedica a maior parte de sua vida ao cuidado dos filhotes, embora essa especialização de função, nessas mesmas espécies, pertença principalmente à mãe. Considerando, porém, a mudança de costumes que surge a partir dos anos 1960, é óbvia a importância do pai, porém é muito mais estudada e definida a importância da mãe durante o período de desenvolvimento da criança, principalmente no que se refere ao estabelecimento de vínculos e de apego. Assim, cabe-nos pensar o aparato legal representado pelas visitas, que parecem ter que ser "matematicamente" estruturadas, visando uma divisão "democrática" e "politicamente correta" do tempo destinado a cada genitor, como se as crianças em questão fossem um benefício a ser dividido, não se pensando, em nenhum momento, no que seria melhor a elas e sim no que é ideologicamente mais importante.

É interessante a discussão quando até mesmo autoras de cunho eminentemente feminista como Camille Paglia[a] referem que:

> "O homem que encontrou sua verdadeira esposa encontrou sua mãe. O domínio masculino no casamento é uma ilusão social, alimentada por mulheres que exortam suas criações a brincar de andar. No núcleo emocional de todo casamento há uma Pietà de mãe e filho."

É exatamente essa a discussão descabida que também temos que considerar em nossa modernidade. Para o desenvolvimento da criança, a figura materna, a despeito de todas as questões sociais que possam ser aventadas, ainda é a figura primordial pensando-se em um desenvolvimento saudável. Isso independentemente da escola de desenvolvimento pela qual se opte.

Ignorar isso em função de discordâncias de opinião entre os pais, além de apontar para a infantilização dos mesmos, ocasiona desdobramentos, uma vez que não se considera nada que não seja o desejo dos pais e não das crianças, que seria o fato a ser priorizado e considerado, referindo-se a uma estruturação da vida com relação a aspectos materiais e valorativos.

Essa questão da guarda compartilhada, descrita atualmente como algo "politicamente correto", torna-se quase uma afirmação indiscutível, uma vez que projetos de lei a colocam como de extrema importância, é contestada por grande parte dos estudiosos da infância.

Françoise Dolto,[b] comentando sobre a experiência francesa, é clara ao falar que:

> "Participei recentemente de uma reunião onde se encontrava um médico inicialmente partidário da guarda alternada. Pois bem, o que dissemos, eu a respeito das crianças pequenas, e ele sobre as maiores, ficou inteiramente de acordo. Ele, que a princípio militava pela guarda alternada, tornou-se um militante contra a guarda alternada. Agora é

---

[a] Paglia C. *Personas sexuais*. São Paulo: Companhia das Letras, 1992.
[b] Dolto F. *Quando os pais se separam*. Rio de Janeiro: Zahar, 1989.

favorável à supressão total dessa guarda alternada, pelo menos até os doze anos, tantos foram os incidentes graves e as tentativas de suicídio a que assistiu. Aliás, foi por essas razões que a Sra. Pelletier constituiu a Comissão de Guarda de Filhos de Divorciados: o aumento do número de tentativas de suicídio em crianças a partir de sete anos foi a grande motivação do trabalho.

"Quando pequena, a criança não consegue suportar a guarda alternada sem ficar solta em sua estrutura, até eventualmente dissociar-se conforme a sensibilidade de cada um.

"A reação mais comum é o desenvolvimento da passividade no caráter da criança. Ela perde o gosto pela iniciativa, tanto do ponto de vista escolar quanto do ponto de vista das brincadeiras, e entra em estados de devaneios que não levam à criatividade – porque existem devaneios fecundos, mas aqui não se trata de um deles."

"Até os doze ou treze anos, portanto, a guarda alternada é muito prejudicial às crianças. Que elas possam ir à casa do outro genitor com a frequência que bem desejarem, quando isso for possível, concordo, mas que não tenham que mudar de escola em decorrência de uma regulamentação de guarda alternada. O social tem uma importância enorme para o desenvolvimento da criança. Por isso é que a guarda alternada é prejudicial: por exemplo, quando uma criança tem duas escolas, uma quando mora com a mãe e outra quando mora com o pai. Isso é muito ruim, porque, nesse caso, não há nem continuum *afetivo, nem* continuum *espacial, nem* continuum *social. Cheguei a ver casos em que a criança passava metade da semana no norte de Paris e a outra metade no sul de Paris: era assim que os pais dividiam entre si, durante a semana, seu 'filho-joguete'. Na reunião de que falei anteriormente, todos os participantes conheciam exemplos próximos desses dramas produzidos pela guarda alternada; e, na maioria dos casos, com crianças de onze ou doze anos. As guardas alternadas são proibidas hoje em dia; o que se concede são guardas conjuntas."*

"Quando a lei decide algo que prejudica a criança, isso é ainda mais terrível para ela, por acontecer através da lei. Uma vez que a sentença é proferida por um juiz, os dias em que ela vê o pai e a mãe passam a ser fixos, e isso é extremamente prejudicial, porque as afinidades, o desejo de se ver entre pais e filhos, não podem obedecer a dias fixados dessa maneira....quando moram na mesma cidade, as relações de afetividade

ficam desumanizadas, ao serem regidas pelos dias da semana, e não por afinidades entre uns e outros."

Assim, a grande pergunta continua a ser o que queremos para os nossos filhos?

Algumas coisas continuam inalteradas, independentemente do passar do tempo e das mudanças de costumes, pois só podemos falar de guarda compartilhada como a melhor opção para as crianças quando os pais mantêm um ótimo relacionamento, ou seja, quando juntos ou não, mantêm, para um desenvolvimento saudável da criança, a coerência e a concordância no relacionamento.

Se pensarmos na divisão de horas com cada um dos genitores, a questão chega às raias do surreal, nos parecendo que se não existem essa coerência e concordância que falamos, a divisão estrita de horas que a criança passa com cada genitor nos afigura o pior modelo, pois ocasionará para a criança ouvir acusações sobre o pai na casa da mãe e vice-versa. Assim, além do desgaste de dividir sua vida entre duas casas, ela ainda alterna os comportamentos agressivos de seus pais.

Ao descrever um modo de existência ética, Kierkegaard,[c] citando o exemplo de Agamenon, refere o prejuízo pessoal com o sofrimento e a dor da perda de um ente amado em função do benefício de muitos.

Pensando dessa maneira, caberia se perguntar por que, considerando o benefício de crianças privadas de um ambiente estável, do convívio fraterno e da coerência educacional, se opta por não sofrer fazendo-as padecer pelo egoísmo, pelo orgulho e pelo amor-próprio. Essa é a proposta ética para as crianças de nossa pós-modernidade?

Por que se abre mão dessa questão ética decorrente do meu prejuízo pelo bem estar de uma pessoa amada (os filhos) e dependente dessas decisões?

É fácil observar essa questão quando se pensa, conforme refere Sprovieri,[d] que "em famílias funcionais, as funções vão circular entre as pessoas, negociações explícitas vão ocorrer, permitindo que o sistema se adapte às mudanças e deixe as relações se desenvolverem. As mudanças nas funções complementares geram crescimento e reorganização contínua no sistema familiar, por meio de seu ciclo vital iniciado ou ainda intermediário, enquanto numa família disfuncional há uma rigidez na determinação de quem desempenha e como se desempenham essas funções".

---

[c] Kierkegaard S. *Temor e tremor*. São Paulo: Abril, 1997.
[d] Sprovieri MH. As mudanças do ciclo de vida familiar. *In:* Assumpção FB, Kuczynski E. *Tratado de psiquiatria da infância e da adolescência*. Rio de Janeiro: Atheneu, 2012.

Ora, não é preciso muito esforço para perceber que, enquanto sistema de visitas compartilhado de maneira igualitária famílias disfuncionais permanecem disfuncionais em que pese a decisão judicial e legal que, no mais das vezes, favorece a disfuncionalidade mantendo-se um conflito constante sobre quem possui o poder decisório.

Isso expõe de maneira flagrante algumas outras questões que já consideramos de importância fundamental e que são vistas cotidianamente quando os pais possuem opiniões totalmente diferentes naquilo que se refere à criação e educação dos filhos, com comportamentos não conciliáveis e inflexíveis.

Confunde-se, assim, a defesa dos direitos infantis em ter pai e mãe com a defesa do exercício de poder, por meio do qual um dos genitores, privando o outro de seu direito de decisão, estabelece de modo claro o poder delimitando territórios representados pelos filhos que são desconsiderados enquanto pessoas. É essa desconsideração do cônjuge e dos filhos como pessoas que nos parece que deve ser observada com cuidado e independentemente de um processo de separação ou não, pois os mesmos fenômenos podem ocorrer em famílias estáveis, organizadas e, aparentemente, com dinâmicas satisfatórias. Qual o exemplo e o modelo que dou aos meus filhos com essas atitudes?

Criar filhos não é, portanto, somente uma decisão "democrática"; é, primordialmente uma decisão ética. Não se tem filhos ou se criam filhos para satisfazer às próprias necessidades, mas sacrificam-se as próprias necessidades para que o filho se desenvolva bem, dando-lhe aquilo que lhe falta e para isso é preciso generosidade, algo em falta na nossa pós-modernidade, individualista e egoísta, voltada principalmente para a satisfação das próprias necessidades, esquecendo-se e desrespeitando-se o desenvolvimento infantil.

> *"Ao optarmos pela sociedade do eu, perdemos a chance de respirar qualquer espiritualidade de fato, aquela que caminha sobre a esperança que os outros nos emprestam, a generosidade que nos faz sair de nossos 'direitos adquiridos' e a gratidão que é a maior qualidade de alguém que conseguiu amadurecer minimamente. Tudo isso é invisível para quem nunca percebeu o quão é incapaz dessas virtudes sempre foi."*[e]

A adultização das crianças é outro tema interessante, posto que participa também de um paradoxo, uma vez que elas são ensinadas a se comportar como adultas, vestindo-se iguais às mães e pais e vivendo como os mesmos com di-

---

[e] Pondé LF. *A era do ressentimento*. São Paulo: Leya, 2014.

reitos similares. Assim, torna-se difícil saber qual a idade da menina que dança *funk* de modo sensual e provocante ou como é o garoto que fuma maconha, de maneira displicente, na mesa do bar.

Aliás, qual não foi minha surpresa quando, atendendo a um adolescente de uns 15 anos de idade, ele tranquila e displicentemente tira um papel de seda e um pouco de maconha do bolso e começa a fazer um cigarro na minha frente.

Quando digo que não permito que ele fume nem maconha nem nada no meu consultório, ele me contesta, tentando me explicar que a maconha faz muito menos mal que o cigarro.

Surpreso com a audácia, respondo que não estava discutindo o que fazia mal, mas que em primeiro lugar, em uma sala fechada como é um consultório, não se fuma e que, em segundo lugar, por enquanto, maconha era proibida por lei e que ele tinha todo o direito de tentar mudar as leis, porém para isso havia um caminho a ser seguido e não simplesmente burlá-la descaradamente na minha frente, comigo como cúmplice.

Confuso, ele me explicou que simplesmente fazia o que o pai lhe havia dito: que era para fumar dentro de casa e não na rua, pois não correria riscos com a polícia.

Vários aspectos estão presentes nesse fato.

Em primeiro lugar, a conduta adultizada, que permite a um menino de 15 anos beber, fumar, não ter regras.

Em segundo lugar, a burla ensinada na própria casa e contando com a cumplicidade dos pais que não percebem que esse padrão de funcionamento se voltará contra eles e contra o próprio filho no decorrer da vida, levando, no mínimo, a uma conduta do tipo "levar vantagem em tudo", independentemente do que e do como se faz, bastando somente a sua satisfação para que ele justifique tudo.

Finalmente, a não percepção de ambientes e pessoas diferentes que possam servir como fatores de controle.

Paralelamente a isso, as expectativas parentais e sociais aumentam desmesuradamente e a tal ponto que a agenda de um garotinho hoje é tão ocupada quanto a de qualquer burocrata ou executivo, sobrando muito pouco tempo para o brincar, característica de todas as espécies mamíferas a título de aprendizado de como viver. Claro que isso afeta o viver dessa criança, pois o aumento das exigências ocasiona o aumento do estresse sobre ela que vai se manifestar sintomatologicamente de diferentes maneiras, quase nunca controladas por medicamentos e quase sempre sendo dependentes de mudanças radicais em sua vida e, consequentemente, na maneira da própria família de vê-la e ver a própria vida.

Temos então que pensar o que queremos de nossos filhos e, diante disso, optarmos por uma perspectiva que, como já mencionamos, pode ser uma perspectiva distópica, com predomínio do individualismo e da busca da ascensão social, ultrapassando-se a dimensão afetiva e as trocas de intimidade. Temos que saber que isso acarreta uma vigilância constante, bem como a perda da privacidade, mantendo-se a solidão, a falta de redes de suporte e a dificuldade em se manter a flexibilidade para a vida conforme as expectativas.

Por outro lado, podemos manter perspectivas utópicas, com a valorização das relações afetivas, a maximização dos papéis, a busca do companheirismo e da intimidade. Isso traz em seu bojo a exigência de muita participação da família com amor-paixão, educação, promoção dos filhos, manutenção de rede de afeição exclusiva e prolongada. Corre-se, entretanto, o risco do prolongamento da adolescência e da dependência das figuras parentais.

Independentemente da escolha, ela deve ser coerente e consciente, uma vez que seu filho dependerá dela.

Como fazer crianças saudáveis? Simples. Falamos isso nessas poucas palavras até agora e talvez a questão maior seja diferenciar o que é sério daquilo que é ideológica, política ou afetivamente desejável.

É somente disso que as crianças necessitam: pais dedicados, afetivos, coerentes e, principalmente, presentes.

14

Uma Boa Mãe...

Prezada senhora,

Após terminar de ler este arrazoado de não sei bem se conselhos, sugestões ou reflexões, a senhora deve estar pensando no que fazer e sentindo-se mais confusa do que nunca.

Compreenda que essa não é, nem nunca foi, a minha intenção.

Ao olhar para tudo aquilo que já foi, deve estar se criticando sobremaneira e tendo muito medo daquilo que ainda está por vir na longa senda do criar e educar seu filho e deve estar pensando que seria muito fácil se eu lhe indicasse um livro bem interessante, de preferência com perguntas, respostas, quadros sinóticos e diagramas sobre como criar filhos.

Confesso que exerço minha profissão de psiquiatra de crianças há mais de quarenta anos e não conheço nenhum livro desse tipo que eu possa considerar sério. Isso porque, do mesmo modo que não encontrará nenhum livro que lhe ensine a pintar uma Mona Lisa, a senhora não encontrará nenhum que lhe ensine como criar seu filho que, exatamente por ser seu filho, é também uma obra de arte, única e irreproduzível.

Os livros que a senhora encontrará são em sua maioria sérios demais e, seu filho, como toda criança, é pouco sério e permeado pela alegria de viver que somente os pequenos possuem.

Além disso, muitos costumam ser tendenciosos, defendendo ideias dos mais variados tipos, o que faz com que a senhora acabe se sentindo sempre errada, pois ou é relapsa ao não fazer determinadas coisas e tomar determinadas atitudes ou é reacionária e advoga o machismo ao adotar outras posturas e opiniões.

Assim, não é minha intenção confundi-la e, após todas as reflexões que fizemos conjuntamente no decorrer deste pequeno trabalho, este final foi construído nesta forma de carta para que eu pudesse lhe dizer aquilo que penso deva ser uma mãe.

Não tenho a menor pretensão de lhe dar todas as respostas, até mesmo porque não as sei, inclusive porque não tive (por questões biológicas, claro) a possibilidade de vir a ser mãe (mesmo com estes tempos modernos e de questionamento de gêneros, papéis e outras coisas mais).

Assim, procurei partir sempre de princípios gerais, para serem pensados e não seguidos cegamente uma vez que falamos da "arte" de criar filhos e não da "ciência" de criá-los. Temos ainda muitos mistérios, muitos campos desconhecidos e, principalmente, conhecemos ainda muito pouco (independentemente de todos os progressos que conseguimos, sobretudo nas últimas duas décadas) sobre o desenvolvimento normal em suas vertentes neurocientíficas.

Dessa maneira, a primeira coisa que tenho que lhe falar é que a educação de seu filho se inicia muito precocemente. Na verdade, ela já começou quando você escolheu o seu parceiro, aquele que será o pai desse filho que, imagino, foi escolhido porque naquele momento você o considerava a pessoa que iria poder caminhar a seu lado e não porque precisava casar pela idade que avançava ou porque não desejava permanecer sozinha.

Saiba, portanto, que seu relacionamento com esse parceiro será de fundamental importância nesse processo de desenvolvimento do seu filho.

A sua insatisfação com a manutenção de uma estrutura social importante como a família, tanto quanto a ruptura da mesma, ocasiona situações de difícil manejo e que, se tangenciamos neste trabalho, não são solucionadas simplesmente por meio de teorias, leis ou receitas prontas. Na maior parte das vezes depende de longas conversas, de trabalho intenso e, principalmente, de um amadurecimento e de uma flexibilidade mental invejáveis.

Sei, porém, que não é essa a sua situação e que sua união é equilibrada e afetiva, com padrões de funcionamento adequados, quer sob o ponto de vista da hierarquia do grupo, quer sob o ponto de vista da comunicação e da expressão de afetos, seja ela verbal ou física.

Exatamente por isso, a opção em ter um filho foi uma opção consciente e, conforme vimos em outro capítulo, ética.

Assim, sua preocupação atual é que ele cresça saudável, a caminho de uma vida feliz e saiba que somente esse desejo que você possui de que ele cresça saudável rumo à autonomia e à possibilidade de escolher a própria felicidade já é um alicerce importante para o desempenho do seu papel único de mãe.

Isso porque você sabe, de antemão, que ele não é destinado a preencher nenhum vazio de sua existência, mas que ele participa dela, de modo cada vez mais independente, até que ela se extinga. Assim, a sua vida eu sei que continua e que, embora esteja tentando ser uma boa mãe, você tem uma vida pessoal e profissional que a satisfaz, pois só podemos dar aquilo que temos e só damos condições de felicidade se somos felizes.

Não seja, portanto, uma pessoa frustrada, pois pessoas frustradas e decepcionadas costumam projetar sobre seus filhos as próprias aspirações e desejos que, quando não satisfeitos, aumentam as decepções e o sentimento de abandono, que levam ao círculo vicioso dos relacionamentos de dependência e de cobrança mútuos.

Por isso, em primeiro lugar, mantenha isto em mente: seu filho não é destinado a satisfazer suas expectativas nem suas ambições e, muito menos, a fazer você se sentir realizada. Ele será aquilo que ele poderá ser e isso significa que ele será um ser humano com qualidades e defeitos, embora você faça o possível para que as qualidades prevaleçam sobre os eventuais defeitos.

Saiba ainda que o ciúme é ilimitado e que tanto seu filho como seu próprio marido terão ciúmes de você, muitas vezes (dependendo da maturidade de seu marido) disputando a sua presença como se um estivesse espoliando o outro de seu direito.

Lembre-se ainda de que ter um filho é um privilégio e que, como tal, você não deve se sujeitar às ideias de culpa que tão frequentemente vêm a nossa cabeça, como se estivéssemos em débito sempre.

Falo isso porque imagino que você deve continuar com sua vida sem achar que os momentos que você dedica a si mesma estejam sendo "roubados" dele. Isso não é verdade e além do mais faz parte do processo de crescimento o afastamento gradativo das figuras parentais, principalmente da mãe, para que a autonomia possa ser construída e relações simétricas sejam aprendidas.

Tudo isso já pode e deve ser pensado durante a própria gravidez, pois as relações entre você e seu companheiro já irão se alterando, quer nos aspectos sexuais, quer nos aspectos sociais, embora nada disso deva interferir no bom andamento do relacionamento entre vocês dois.

Assim, seguem agora algumas sugestões sobre aquilo que, imagino, seja sua maior preocupação neste momento: ser uma boa mãe.

O que é, em verdade, uma boa mãe?

Ninguém pode ser uma boa mãe e uma mãe competente se não for uma pessoa boa e competente, cordial, serena, respeitosa (consigo mesma e com os outros).

Isso não é um aprendizado que se tenha durante o processo de gravidez. Isso você já desenvolveu durante a sua vida, muito antes de se transformar em mãe e é representado por sua capacidade de conviver com os outros de maneira compreensiva e flexível, sabendo perceber e respeitar os direitos do outro mesmo que não concorde com eles. Mais ainda, você aprendeu e sabe que as pessoas são diferentes entre si, não somente por suas origens como por sua educação, procedência e, principalmente, por suas idades. Assim, você já tem uma condição básica de ser mãe quando percebe que seu filho é diferente de você como pessoa, mas também porque sua compreensão é diferente por sua idade e, consequentemente, não tem as mesmas condições que você para avaliar as situações que vive. Isso não significa que você não possa respeitá-lo e compreendê-lo mesmo não concordando e nem permitindo que ele realize determinadas ações cujas consequências não consegue prever.

Existe uma lenda oriental que conta que, em uma aldeia, a mãe, ao sair no quintal de seu casebre, encontra seu filho pequeno esforçando-se a escavar um pedaço de madeira com um pequeno canivete.

Intrigada, ela lhe perguntou o que ele fazia com tanto esforço. O pequeno respondeu então que fazia um prato para que quando ela ficasse velha comesse nele, sem o risco de quebrá-lo. Fazia isso porque via que à sua avó paterna era dado um prato de madeira (e não de cerâmica) para esse mesmo fim.

Assim, é a partir de sua compreensão e de sua tolerância com a vida e com os outros que seu filho aprenderá as mesmas coisas.

Além dessa tolerância, sei que você é realista, resistente às frustrações e capaz de ceder para o filho em seu próprio detrimento.

Isso lhe permitirá perceber do que ele é realmente capaz e o que está acima de suas reais possibilidades ou vontade, mesmo sabendo que seria um desejo seu e que, em sua opinião, talvez fosse mais proveitoso para ele.

Como você já conseguiu resolver suas fantasias infantis, não tem mais necessidade de mostrar nem a si mesma nem ao mundo o quão boa você é enquanto mãe.

Como ser mãe foi uma escolha, consciente e ética, você não tem que provar que é competente nem a melhor mãe do mundo.

Você é quem pode ser e o melhor que pode ser. Capaz de se frustrar ao não poder fazer o aniversário de seu filho no Buffet infantil dos seus sonhos, mas, ao mesmo tempo, capaz de realizar o aniversário dele de modo mais feliz ao fazer o bolo de chocolate preferido dele e que sua mãe lhe ensinou a fazer quando você era menina. Você sabe que isso demandará tempo, trabalho e vontade, sem o reconhecimento exterior, mas é o que você pode fazer e, por isso, é o que conseguirá fazer da melhor maneira possível.

A maternidade não é um fenômeno pontual que cai sobre a mulher repentinamente e que é resolvido logo depois que a criança nasce, com a presença de babás, empregadas ou escolas.

Embora essa seja uma solução operacional para a modernidade, a questão não é unicamente operacional, pois o cordão umbilical, mesmo depois de cortado, permanece dando início, aí sim, à verdadeira tarefa da maternidade.

Claro que você tem que saber que esse cordão não é uma corrente de ferro pesada, inflexível e de difícil manejo.

Ao contrário, ele tem que ser um fio elástico, flexível, que vai se esticando cada vez mais até seu rompimento para que seu filho crie uma nova família, embora os laços de afeto e de amor permaneçam.

Entretanto, o processo de cortar esse cordão umbilical não é separar rápida e definitivamente os caminhos, mas sim saber amparar o outro, favorecendo sua autonomia e sua independência, em que pesem a dor e a frustração dessa separação. Mas, como dito antes, uma boa mãe é tolerante às frustrações e sabe, muito bem, lidar com todas elas.

Uma boa mãe não é uma ditadora. Ela não dita ordens indiscutíveis que devem ser cumpridas sem hesitação. Por outro lado, ela também não é uma escrava que passa o dia levando o filho para todas as suas atividades sem existir como pessoa ou indivíduo.

Ela procura estar isenta, dentro do possível, de suas variações de humor decorrentes do restante de sua vida, naquilo que se refere ao trato com o filho; entretanto, ela também conhece o sentido da reciprocidade e dos compromissos, o que leva a sua relação com a criança a ser uma relação de cooperação, respeito e compromisso. Mesmo assim, sem necessitar de castigos, ela corrige e impõe sua autoridade de mãe.

Como é democrática, ela vai gradualmente permitindo maiores liberdades a seu filho, de modo a que ele, cada vez menos, precise dela. Isso implica que ela o ensinará, gradualmente, a fazer as tarefas sozinho, como ir à escola e se cuidar, tudo isso com a finalidade de desenvolver sua autonomia, em que pese ela fazer tudo isso "por prazer" e porque "não custa nada". Isso, entretanto, não significa que ela se permita ser desrespeitada ou agredida por ele. É importante inclusive lembrar que essas condutas, quando ocorrem, têm que ser verificadas como são aprendidas, pois muitas vezes o próprio relacionamento familiar as ensina e modela.

Uma boa mãe, portanto, fiscaliza sempre seu relacionamento conjugal para que tais atos não ocorram e sejam copiados de maneira inadequada por seu filho.

Devido a sua tolerância, uma boa mãe não precisa se valer de castigos, mas ela deve mostrar as consequências, ainda que dolorosas, das atitudes de seu filho. Ela não ameniza as consequências nem procura diminuí-las para que ele as sinta menos. Ao contrário, ao ser democrática, muitas vezes ela permite o ato, mas aponta as consequências e as faz serem respeitadas.

Uma boa mãe crê em seu filho e, ao acreditar nele, permite que ele desenvolva suas habilidades e potencialidades, auxiliando-o e apoiando-o nas suas aquisições, ainda que elas não correspondam exatamente àquilo que seria de seu desejo. Mais uma vez ela é tolerante às frustrações e controla os próprios desejos infantis de onipotência.

Com isso, ela não entra em desespero por pequenos insucessos ou problemas, nem supervaloriza algumas falhas, mas aponta caminhos, mostra e cobra as consequências, escuta as frustrações e decepções e acolhe o sofrimento. Em suma, ela é uma amiga, embora não seja uma "amiguinha", posto que seu papel de mãe é diferente daquele, porém consegue, mesmo com essa diferença, compartilhar os problemas e o sofrimento eventual daquele ser em crescimento.

Ela sabe, no entanto, que não é autossuficiente e que seu filho não pode ser tarefa única e exclusiva sua, sabendo que terá um papel importantíssimo, porém não exclusivo no seu processo de desenvolvimento. Assim, ela se valerá da aproximação e da ligação com diversas outras pessoas, que vão desde o próprio pai até a eventual companheira que ele escolherá quando adulto. Ela sabe muito bem que esse é o processo da vida em seu fluir e desenrolar e que ela, como mãe, deve compreender e favorecer, ainda que sempre acolhendo e orientando.

Uma boa mãe é flexível e tem que se adaptar às mudanças inerentes ao processo de crescimento que levam a criança da total dependência até a autonomia, na qual ela escolhe e segue sua própria vida, afastando-se, consequentemente, dela. Mesmo assim ela mantém para o filho a atitude de acolhimento que lhe permite retornar quando necessitar e quiser.

Uma boa mãe escuta mais do que fala.

Embora difícil, escutar é estar à disposição, respeitar, compreender, tolerar e, principalmente, estar disponível, todas as coisas de que a criança necessita de maneira importante durante sua vida.

Uma boa mãe é crítica e, exatamente por isso, sabe que o desenvolvimento saudável de seu filho depende, e muito, do equilíbrio nas relações familiares, bem como de elas serem satisfatórias. Assim, ela tenta, dentro de suas possibilidades, identificar e corrigir essas relações, não procurando bodes expiatórios nem responsáveis pela infelicidade sua ou da própria criança.

Mais que tudo, porém, uma boa mãe é afetuosa, o que leva seu filho a saber o quanto ela o ama independentemente das frases ditas, ou dos presentes ofertados, ou da satisfação de todos os desejos do filho (aliás uma boa mãe não satisfaz todos os desejos de seu filho, pois isso é irreal e inadequado).

É claro que como ser humano ela comete erros, mas tira deles o conhecimento necessário para corrigi-los, evitando novos e futuros problemas.

Assim, com todas essas características, ela constrói homens reais e não arremedos fracos, dependentes e infantilizados.

Minha senhora, depois de tudo isso, não posso dizer que a conheço, mas acredito que possa se esforçar em fazer seus filhos saudáveis, com direito a sua própria vida.

Ao fazer isso, em alguns anos você poderá ver tudo se repetir através de seus netos, com as mesmas dificuldades e problemas.

Como disse alguém importante para mim: "Alteram-se os cenários e os atores, mas a história é sempre a mesma".

Nosso caminho, juntos, está terminando. Agradeço por ter me acompanhado até aqui, com paciência, ouvindo minhas críticas, concordando ou não com minhas opiniões e sugestões, mas sempre alerta, disposta a pensar e refletir sobre o que foi dito, se questionando e me questionando em cada passo deste caminho.

Espero que eu tenha conseguido ser útil de algum modo.

Como disse no início, mães sempre existiram e não serei eu que ensinarei como elas devem agir ou ser. Minha experiência, como profissional que trabalha com mães e crianças, levou-me a procurar apenas listar algumas características e situações frequentes no atendimento e que, muitas vezes, podem ser resolvidas somente a partir dessas considerações.

Que estas sementes caiam em terreno fértil e que a senhora saiba, realmente, por que quis ser mãe e, a partir daí, exerça seu papel da mesma maneira que vimos fazendo (com todas as variações decorrentes das mudanças sociais e culturais, óbvio) nos últimos 800 mil anos. Não é tão difícil, mas também não está escrito no DNA. Faz-se necessário pensar e, uma vez que somos seres históricos e éticos, decidir o que queremos, mas creio que isto sim deve estar escrito no seu DNA: querer filhos saudáveis e, se possível, que caminhem em direção a um existir mais feliz.

Índice Remissivo

A

Adultização das crianças, 124
Afeto, ligações de, 78
Agressividade, 95
Alimentação
cuidado com a, 33
estímulos psicológicos, 34
fonte de nutrientes, 32
estímulos
psicológicos, 34
sociais, 35
fonte de nutrientes, 32
importância para qualquer
criança, 31
Ambiente
de segurança, 53
volátil, 28
Amor real, 70
Anciões, papel dos, 14
Angústia, 96
Animais gregários, 17
Anormalidades associadas a
doenças biológicas, 82
Apego
da criança para com sua mãe, 63
desenvolvimento do da
criança, 63
padrões de, 68
Aprendizado social, papel sexual a
partir de um, 45
Atitude(s)
afetiva, 102
de cooperação, 22
de sedução, 103
de suborno, 103
familiares, 8
técnica, 102
Atividades lúdicas, 87
Atualização, conceito, 28
Autoconceito, construção do, 69
Autoestima, 46
Autonomia infantil, desenvolvimento
da, 69

B

"Babás eletrônicas", 29
Bandos, vivemos em grandes, 17
Bebê
desenvolvimento afetivo e
cognitivo do, 64
"gordinho", 32
"Bem-nascido", 2
Boa mãe, 127
crê em seu filho, 134

é crítica, 135
é flexível, 134
escuta mais do que fala, 134
não é ditadora, 133
o que é ser uma, 130
Bullying, 101

C

Caprichos alimentares, 33
Carências nutricionais, 32
Cérebro, desenvolvimento do, 6
Chantagens emocionais no horário das refeições, 39
Chorar diante de uma necessidade não satisfeita imediatamente, 50
Ciúme, 95
Coerência, 42
Comportamento(s)
  desenvolvidos diante de um ambiente específico, 5
  individuais, 5
  similares aos dos indivíduos congêneres, 5
"Comportar-se", 51
Computador, uso do, 77
Conduta(s)
  adultizada, 125
  inadequadas, 91
  sexuais, 45
Conhecimento vulgar, 80
Consequências, 18
Constrição precordial, 96
Construção social, 93
Construtos teóricos, 93
Consumo, 28
Criança(s)
  adultização das, 124
  agitadas, 60
  apego para com sua mãe, 63
  "boazinhas" na escola e "inquietas só na escola", 61
  direito de, 90
  domínio autocrático, 21
  durante a Idade Média, 13
  e adolescentes, promoção de saúde e qualidade de vida para, 8
  em nossa cultura, importância da, 13
  "estar segura", 7
  saudáveis
    como fazer?, 80, 126
    criar, 22
  saudáveis, 6, 8, 101
  "sentir-se segura", 7
Criar filho(s)
  como, 104
  não é somente uma decisão "democrática", 124
  saudáveis, 3
Criatividade, diminuir a, 51
Cuidado, filho demanda, 105
Cultura jovem, 14

D

Defeito, 76
Déficit de lateralidade, 55
Democracia, 107-116
  familiar, 13
  por que você deseja ter filhos?, 113
  "todos os homens nascem iguais...", 107
Desafio no horário das refeições, 38
Descarte, conceito, 28
Desenvolvimento
  afetivo e cognitivo do bebê, 64
  da criança

figura materna no, 121
processo de, 14
da independência, 69
favorável, 8
infantil
 a partir do século XIX, 100
 com o advento da Revolução Agrícola, 99
Desnutrição, 32
Desperdício, 28
Deus, existência de, 79
Diagnosticar, 93
Diagnóstico(s)
 a questão dos, 89-97
 absurdos, 91
 finalidade, 94
 populares, 93
 vulgares, 93
Diálogo, 22
 entre pais e filhos, 68
Direitos de crianças, 90
Discalculia, 56
Disfunções educacionais, 81
Dislexia, 55
Dislexia-disortografia, 55
Disortografia, 55
Ditadura infantil, 13
Diversidade, 109
Doenças mentais, 82
Domínio autocrático da criança, 21
Durabilidade baixa tanto
 dos produtos quanto dos relacionamentos, 28

E

Educar adequadamente, regras e normas do, 43

Efemeridade baixa tanto dos produtos quanto dos relacionamentos, 28
Empatia, desenvolver, 53
Enfrentamentos no horário das refeições, 38
"Ensinar a pensar", 100
Equipamento neuropsicológico, 54
Escola, escolha da, 92
Espécie humana, 109
Esquema alimentar, 34
Estado emocional da criança, 68
Estar só, aprender a, 51
Estímulo(s)
 parental, 57
 psicológicos na alimentação, 34
 sociais na alimentação, 35
Eudaimonia, 7
Eugenia, 2
Expectativa de perfeição, 4
Experiência de vida, fatores que interferem
 cerebrais, 8
 cognitivos, 8
 familiares, 9

F

Fatos, ocultação de, 24
Fatores que interferem na experiência de vida
 cerebrais, 8
 cognitivos, 8
 familiares, 9
Felicidade, essência da, 7
Fenótipo compotamental, 82
Figura materna no desenvolvimento da criança, 121

Filho(s)
criar
insegurança em, 10
saudáveis, 3
uma decisão ética, 124
geniais, 54
por que você deseja tê-los?, 113
Frustração(ões), 18, 24
suportar, 75
tolerância às, 25
Funcionamento familiar, dinâmica
de, 97

G

Geração(ões)
da Internet, 27
do milênio, 27
proibido proibir, 14
X, 27
Y, 27
Z, 27, 29
Guarda compartilhada, 121
Gulodices, 34

H

Hábitos alimentares, 38
Hiperatividade, 49
Hipótese diagnóstica, 93
Homem, o que é o?, 4
Horário de refeições, 37
Hospitalismo intrafamiliar, 101

I

Identidade
construção da, 69
de gênero, 44
sexual, modelo cognitivo de, 44

social, 45
Ideologia determinada, 74
Imagens mentais
antecipatórias, 15
de estocagem, 15
Independência, desenvolvimento
da, 69
Índice(s)
de massa corporal, 32
sociais, 7
Insegurança em criar filhos, 10
Instinto maternal infalível, 9
Integração entre a criança e
o ambiente circunjacente,
desenvolvimento por meio da, 7
Inveja, 95

J

Janela do desenvolvimento, 56
Jovens e adolescentes
falta de perspectivas, 117
índice de insatisfação, 117

L

Liberdade
de crescer, 53
tolher a, 51
Limite(s), 76
abolição de, 24
ausência de, 78
falta de, 51
Linguagem, 67
Líquidos na alimentação, 34

M

Machismo das gerações, 47

Mãe(s), 63
   humana, 63
   politicamente corretas, 57
Mago, 14
Maternidade, 132
   terceirização da, 65
Medicação
   milagrosa, "achado" da
     pós-modernidade, 102
   poderes sobre o comportamento
     infantil, 84
Meios de comunicação, 78
Memória, 15
Meu filho não quer comer, 31
Mitos, 88
Modelo de autodomínio, 68
Modernidade, os milagres
   da, 99-106
Moral heterônoma, 15, 46
Motivação, 6
   de aprender, 58
Mundo
   biológico, 41
   social, 41

N

Necessidades, 24
   satisfazer às, cansaço e trabalho
     para, 24
Neuropediatras, 54
Neuropiscólogos, 54
Nutriente, fonte de, 32

O

Obesidade, 32
Operações concretas, período
   de, 16

P

Papai Noel, criança deixa de
   acreditar, 16
Pensamento
   egocêntrico, 15
   pré-lógico, 15, 25
   simbólico, 41
Pequenos cientistas, 41-48
Perspectiva(s)
   distópica, 126
   utópicas, 126
Pertencimento, sensação de, 38
Pirâmide alimentar, 33
Policamente correto(as), 45
   a estupidez do, 71-78
   mães, 57
Por quê?, 41
Pós-humanismo, 3
Proibido proibir, 14
Psiquiatra da infância, 54, 93

Q

Qualidade de tempo, 88

R

Redes
   de informações, 6
   neurais, 56
   sociais, 77
Regra(s)
   durante a alimentação, 37
   familiares, 8
   onde se aprende a seguir?, 17
   quebradas, 18
Reizinho da casa, 29
Relação(ões)

afetivas, 126
de aliança, 95
de apego, 67
seguro, 102
de apoio, 102
de consanguinidade, 95
de filiação, 97
de trabalho, 27
familiares, 95
intrafamiliares, 101
mãe-criança, 63
simbiótica, 70
sociais, 3
voluntárias, 101
Relacionamento, formas de, 105
Respostas emocionais, 66
Revolução social, 71
Riscos empíricos, 82
Rotulação, 89

S

Saudável, o que é?, 2
Segurança, 7
biológica, 7
fatores de, 7
Senso comum, 74
Separação entre os casais, 120
Ser gregário, 5
Sinistrismo, 55
Sobremesas, 34
Sobrevivência biológica, 5
Sua majestade, o bebê, 13
Subornos no horário das refeições, 38
Superproteção, 23, 29
Superstição, 79

T

TDAH (Transtorno de Déficit de
Atenção e Hiperatividade), 54, 61
Técnica(s)
de *body building,* 3
de *body modification*, 3
que visam alterações da aparência
do próprio corpo, 3
Teoria básica da evolução, 107
Ter mãe, 9
Ter pais, 9
Terceirização
da criação dos filhos, 119
da maternidade, 65
Tiranetes, 21, 25
Tolerância às frustrações, 25
Transtorno
de Ansiedade de Separação, 101
de aprendizado, 86
de conduta, 86
de déficit de atenção e
hiperatividade, 54 (*v. tb.* TDAH)
de oposição, 86
específico de aprendizado, 56
Transumanismo, 3
Tratamento medicamentoso, 86

V

Valores, 105
Velhos, papel dos, 14
Visão do outro e do mundo, 105
Viver em conjunto, 22